2° Des OISEAUX : tels que la *chouette* ou *nycticorax*, l'*oie*, l'*ibis*, etc.

3° Des POISSONS : tels que le *latus*, l'*oxyrynchus*, etc.

4° Des INSECTES : tels que l'*abeille*, le *scarabée*, etc.

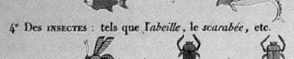

5° Des PLANTES, telles que diverses espèces de *roseaux*, de *Lotus*, le *papyrus*, etc.

19. Mais on n'employait, dans les inscriptions moins détaillées peintes sur les sarcophages ou les stèles, que des couleurs totalement conventionnelles pour les images d'êtres appartenant au règne animal ou au règne végétal.

Ainsi les images de *quadrupèdes* ou de portions de *quadrupèdes*, Des *reptiles* et des *plantes*, étaient peintes en *vert* et quelquefois rehaussées de *bleu*.

20. Les ailes et la partie supérieure du corps des *oiseaux* sont coloriées en *bleu*, le reste du corps en *vert*, et les pattes en *bleu* ou en *rouge*.

— CCAT^{copte} - ᏟᎯᎯᎢ   Omettre, faillir

— 6K = 6AK   S'applaudir, être
                                 applaudi.

— ϦΥ, ϦΕΥ, ϦΥΕ   Pêcher ou poissons

— ΠΕϨ, ΠϨ.   Voler, s'élever en haut
   ΦΕϨ . ΦϨ

— ΠⲰΠⲰ   Accoucher, mettre au
   ΦⲰΦⲰ   monde

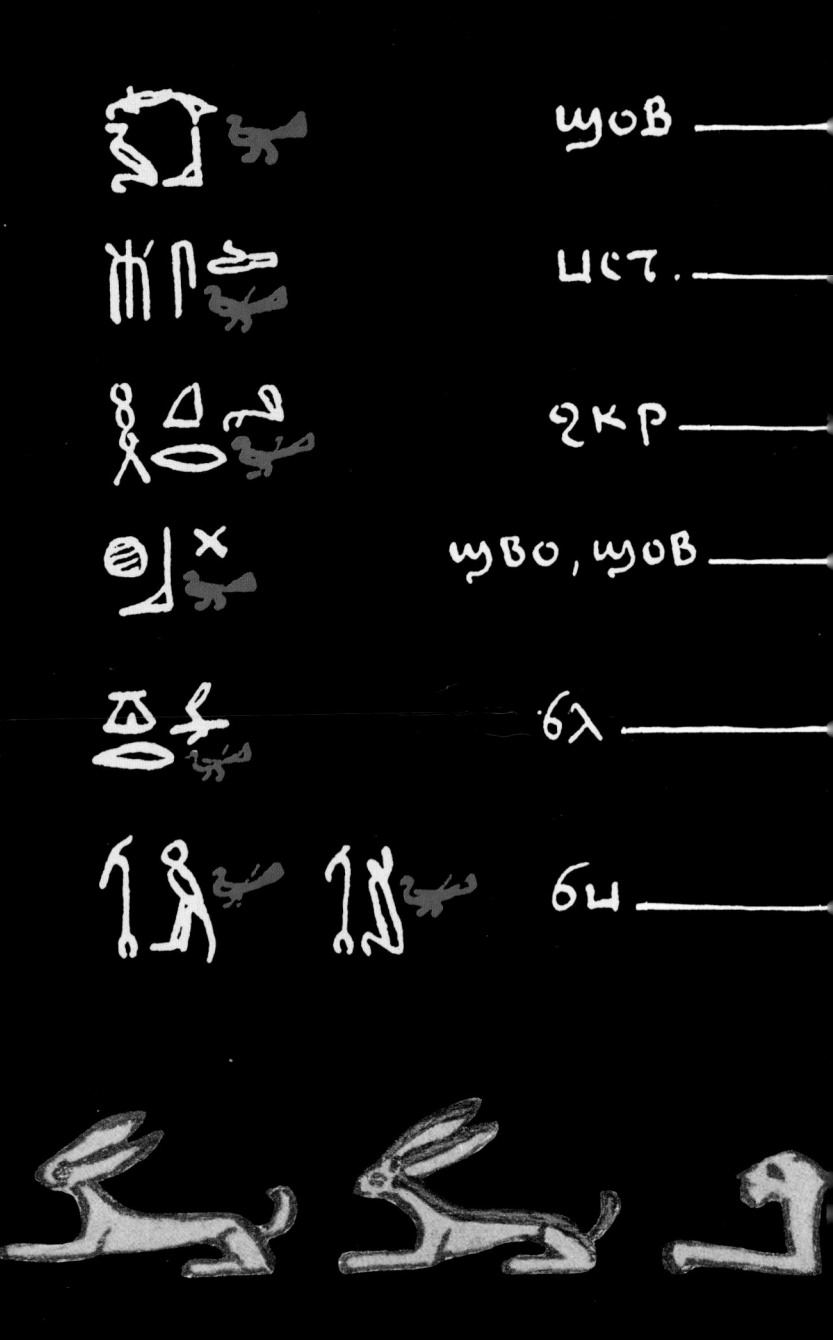

шов ———

цст. ———

экр ———

шво, шов ———

6λ ———

6и ———

— ꙍOBE . ꙍOBS   <u>Etre Hypocrite,</u>
<u>etre faux.</u>

— ЦOCTE   <u>Haïr</u> . Odisse.

— ꙡOKEP   <u>A voir faim</u> .

— ꙍOBE   <u>Varier, changer de</u>
<u>forme</u> (se déguiser)

— 6oλ   <u>Voler</u> <u>Tromper</u>

— 6EЦE . 6ꙍЦE   <u>Pervertir, etre per-</u>
<u>verti</u> .

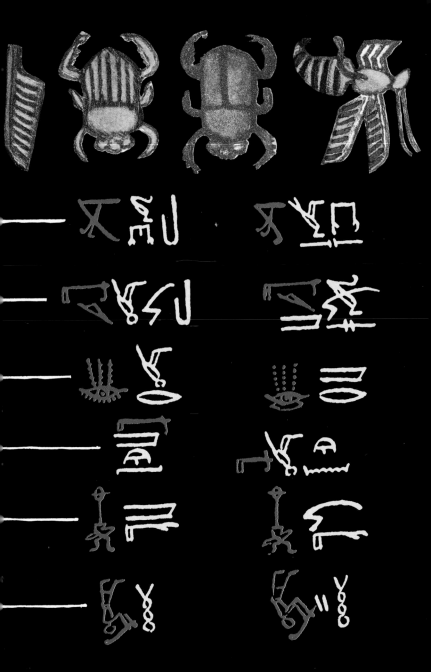

— ϭⲥ = ϭ.   frapper, triturer

— ⲟⲩⲱ ⲱⲧⲉⲟⲣⲱⲩ   Manger

— ⲛⲟⲩ ⲱⲧ·ⲛⲟϭⲩ   Délivrer, Sauver.

— ⲣⲩ ⲱⲧ·ⲣⲓⲩⲉ   Pleurer.

— ⲥⲉⲩⲩ - ⲥⲩⲩ   Attaquer, accuser

— ⲥⲕⲁ ⲱⲧ· ⲥⲕⲁⲓ   Labourer

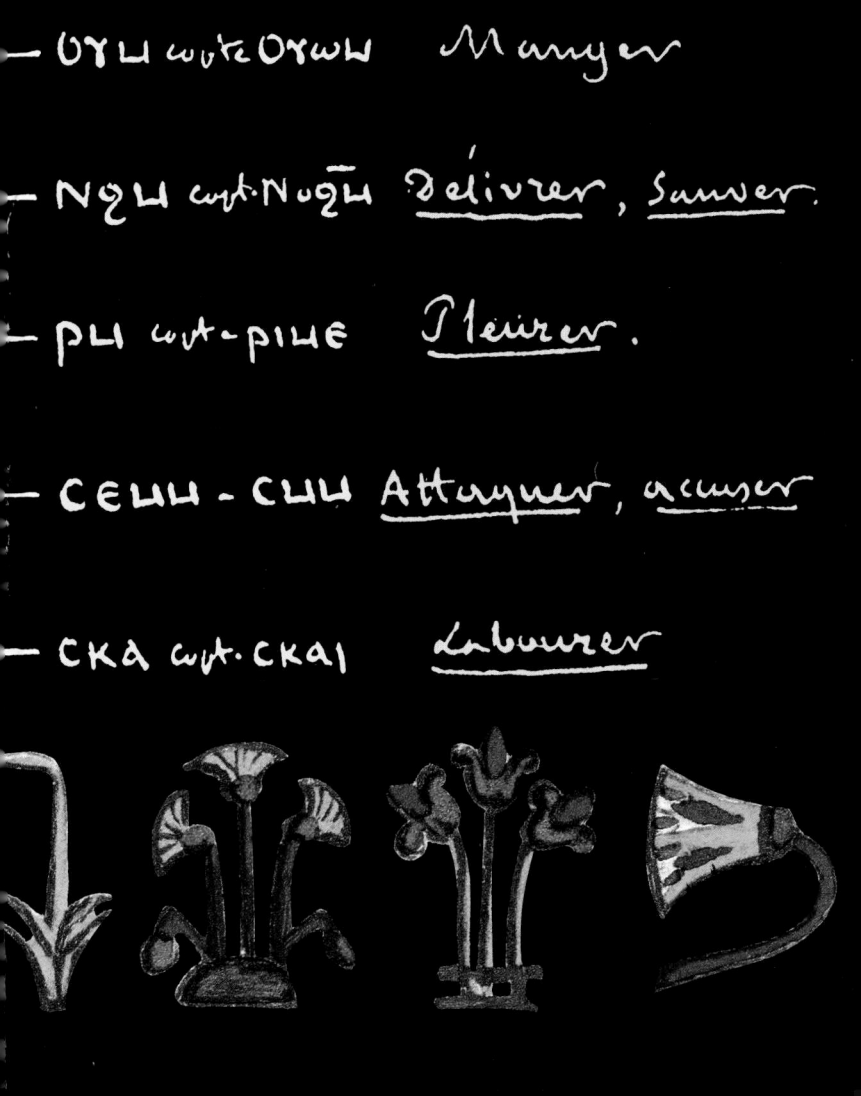

Ancien élève de l'Ecole du Louvre, Michel Dewachter est docteur en histoire et, depuis vingt-deux ans, collaborateur et chercheur du Centre national de la recherche scientifique. Il est actuellement attaché au Cabinet d'égyptologie du Collège de France. Spécialiste de l'histoire de l'égyptologie, il a installé en 1986 à Figeac, dans la maison natale du déchiffreur, le musée Champollion, et a été chargé de l'organisation des principales manifestations prévues pour commémorer en France le bicentenaire de la naissance de Champollion. Collaborateur de nombreuses revues scientifiques et responsable des *Cahiers du musée Champollion*, il est aussi l'auteur de divers ouvrages, dont *La Collection égyptienne du musée Champollion* (1986), *Collections égyptiennes de l'Institut de France* (1987), *Un Avesnois : l'égyptologue Prisse d'Avennes* (1988) et, avec Charles Coulston Gillispie, il a réédité à Princeton l'ensemble des planches archéologiques de la fameuse *Description de l'Égypte* (1987 et 1988). Premier égyptologue lauréat de la Fondation de la vocation (1965), il a obtenu, pour ses contributions à l'archéologie égyptienne, le prix Noël Des Vergers (1989), décerné par l'Académie des inscriptions et belles-lettres.

*Pour Nathalie Champollion·
et mes amis des bords du Célé.*

*1er dépôt légal : novembre 1990
Numéro d'édition : 80125
Dépôt légal : novembre 1996
ISBN : 2-07-053103-1
Imprimerie Kapp Lahure
Jombart, à Évreux*

CHAMPOLLION
UN SCRIBE POUR L'ÉGYPTE

Michel Dewachter

Né le 23 décembre 1790, pendant les troubles et disettes de l'époque révolutionnaire, à Figeac dans le Quercy, Jean-François est le septième et dernier enfant du ménage Champollion. Dès ses premiers pas, le futur égyptologue bénéficia de la tendre affection et des soins constants de ses trois sœurs et de son frère Jacques-Joseph, son aîné de douze ans, son bon ange et son véritable mentor.

CHAPITRE PREMIER
«UNE LUMIÈRE DES SIÈCLES À VENIR»

De la maison natale à la plaine de Thèbes, une seule pensée habitera Champollion : l'Egypte. Cette fascination mènera au but le déchiffreur et transformera sa première demeure (ci-contre, à Figeac) en musée d'égyptologie.

L'arrière-grand-père du fondateur
de l'égyptologie,
Claude
Champollion
(1661-1726), n'était
qu'un modeste agriculteur de la
paroisse de Valjouffrey, près de
Valbonnais, à cinquante kilomètres de
Grenoble, se livrant au colportage pendant les mois
d'hiver, comme bien d'autres habitants de cette haute
vallée de la Bonne. C'est Barthélemy (1697-1767), l'un
des fils de Claude et grand-père du déchiffreur, qui,
après son mariage en 1727, s'installa au hameau de
La Roche, toujours dans cette paroisse de Valbonnais,
où demeurent encore aujourd'hui plusieurs
Champollion. Dès 1805, Champollion-Figeac, le frère

Figeac, petite cité
du Quercy, sut
rapidement tirer un
excellent parti des
moutons du Causse en
favorisant des activités
liées à cet élevage.
Deux oncles de
l'égyptologue ne furent-
ils pas précisément
teinturier et tanneur ?

de l'égyptologue, s'intéressa à ces habitants de Valbonnais; en 1815, il devint même maire de Valjouffrey, où il était alors installé. Un tel retour au berceau de la famille mérite attention et explique pourquoi Champollion le Jeune, qui vint également dans la région dès l'été 1807, s'estima toujours si profondément dauphinois, jusqu'en Egypte où les brisants du Nil lui évoquèrent immédiatement le bruissement des torrents des Alpes!

«Monsieur Jacques» et son commerce de livres

Si les trois premiers fils de Barthélemy Champollion, lequel, notons-le, était «incapable de signer», acquièrent une certaine instruction, restent en Dauphiné et y deviennent même de petits notables, le quatrième – futur père de l'égyptologue –, Jacques

« Vous sentez bien que la balance penche en faveur de la ville natale. [...] Quelle que soit la distance, mon cœur la franchit bien vite et je suis plus souvent que vous ne le pensez à courir avec vous, de la rue des Capucins à la place de la Raison», écrira Champollion de Grenoble, à vingt-sept ans, à son ami quercinois Jean Vayssié, lui rappelant ainsi leurs jeux sur les bords du Célé.

(1744-1821), choisit quant à lui la route et le commerce ambulant des livres, almanachs et objets religieux divers. Parcourant ainsi le midi de la France, ce colporteur arrive à Figeac en 1770, vingt ans donc avant la naissance de Jean-François. Daté du 6 juillet 1772, un acte notarié relatif à l'achat d'une maison sise à Figeac présente ainsi le commerçant nouvellement fixé sur les bords du Célé : «Jacques Champollion, marchand libraire, natif de la paroisse Debarbonet (sic) en Dauphiné, demeurant depuis quelque temps dans cette ville (Figeac).» Cette maison «située dans la présente ville et près de la place Haute…» est déjà la demeure Champollion de la sombre rue de la Boudousquerie, aujourd'hui impasse Champollion, où naîtront à la fois Jacques-Joseph et Jean-François, et non l'échoppe destinée au commerce des livres. C'est le 16 décembre 1779 que Jacques, l'ancien colporteur, acheta «une boutique, arrière-boutique et sur (sic) chambre située dans la maison du sieur Day marchand et sur la place Basse» qui correspond à l'établissement que continueront de tenir, place de la Halle, les filles Champollion : Thérèse (1774-1850) et Marie-Jeanne (1782-1833).

L' animation continuelle de la Halle (ci-dessous) sur laquelle ouvrait la devanture de la librairie familiale contribua au développement des dons d'observation du jeune Champollion, et sans doute est-ce dans ces cris et ces caquets qu'il faut chercher l'origine de son goût immodéré des mots et des sobriquets.

On ne sait pas dans quelles circonstances ni pourquoi la route conduisit ainsi «Monsieur Jacques» jusqu'aux bords du Célé et plus particulièrement à Figeac. Toutefois c'est par son mariage, le 28 janvier 1773 en l'église Notre-Dame-du-Puy avec la fille d'un fabricant de la petite cité quercinoise, Gualieu, qu'il s'y fixa définitivement. Fréquemment cités dans les archives de Figeac, les Gualieu apparaissent comme simples artisans ou comme notables. Antoine Gualieu (1675-1735), l'arrière-grand-père maternel de l'égyptologue, est tisserand à Figeac, comme son second fils, Jacques (1716-1799), le grand-père de Jean-François Champollion, lequel épouse en 1744 Marie Teulié qui, elle aussi, appartient à une ancienne famille figeacoise. Jeanne-Françoise Gualieu (1744-1807), la future épouse Champollion, qui ne sait pas signer, est l'aînée. Deux de ses sœurs épouseront respectivement un teinturier et un tanneur. Si le destin en avait décidé autrement, Jacques-Joseph et Jean-François, les deux gloires de la famille Champollion, auraient fort bien pu ne jamais quitter les bords du Célé.

Naissance miraculeuse... ou illégitime ?

L'ascension sociale des deux frères Champollion fut très spectaculaire : autodidactes pratiquement, ils enseignèrent tous les deux à l'Université, occupèrent un poste de conservateur à la Bibliothèque royale pour l'un et au Louvre pour l'autre, correspondirent avec les plus grands savants de leur époque et participèrent régulièrement aux travaux de l'Institut. La naissance de Jean-

La «Venise pauvre» du Figeac d'autrefois : l'active petite rue de la Tannerie et son canal. Cet artisanat, dont les bruits et les odeurs rythmèrent la vie de la petite cité, éveilla très tôt l'intérêt de Jean-François pour les divers métiers et leurs outils.

François a d'ailleurs suscité certaines légendes reproduites complaisamment par les uns et les autres. La plus répandue met en scène le fameux guérisseur que le libraire, au début de janvier 1790, aurait consulté alors que son épouse était alitée. Non seulement les décoctions de simples préparées par ce Jacquou dit le Sorcier auraient rendu la santé à la grabataire, mais le guérisseur aurait aussi prédit la naissance d'un fils devant être «une lumière des siècles à venir»! Prononcée par un paysan ne sachant pas lire, une telle phrase indique à l'évidence le peu de crédit qu'il faut accorder à cette histoire. En fait, tout le dossier Champollion, composé à la fois des archives familiales et des papiers acquis par l'Etat mais triés par Champollion-Figeac auparavant, doit être abordé avec prudence.

Quant à la maternité exotique ou plus banalement hors mariage imaginée par certains, elle ne repose sur rien et l'on s'en tiendra à ce que le vicaire de Notre-Dame-du-Puy, l'abbé Bousquet, écrivit dans le registre des baptêmes : «L'an mil sept cent quatre-vingt-dix et le vingt et troisième jour du mois de décembre, a été baptisé Jean-François Champollion, né le même jour, du légitime mariage de M. Jacques Champollion, marchand libraire, et de demoiselle Françoise Gualieu, de cette paroisse.»

Sous la férule de l'abbé Calmels : le premier apprentissage des langues

Le même acte de baptême révèle que le parrain choisi pour le nouveau-né est son frère; aussi Jacques-Joseph veilla-t-il tout naturellement sur l'éducation de son filleul, ce que le père, un peu énergumène et souvent absent, et la mère étaient dans l'incapacité d'assurer. Ce n'est pourtant qu'au printemps de 1797 que ses occupations lui permirent de commencer l'instruction méthodique de son jeune frère, lequel avait déjà réussi à acquérir, seul, les

R evue par Léon Cogniet dans une esquisse pour un plafond du Louvre (ci-dessus), l'expédition d'Egypte fit rêver la France entière et conduisit même Balzac à introduire les rescapés de l'armée d'Orient dans *La Comédie humaine*. Au-delà de la saga napoléonienne et de l'aventure exotique, c'est la découverte des antiquités égyptiennes et des monuments qui frappa les esprits.

rudiments de la lecture en déchiffrant dans un missel quelques passages appris par cœur auparavant, et montrait des aptitudes prometteuses pour l'observation et le dessin.

Il fut très certainement déjà question de l'Egypte au cours de ces premières leçons car, au printemps 1798, Jacques-Joseph sollicita, sans succès toutefois, la faveur d'être attaché à la commission scientifique de l'expédition d'Egypte. Mais ces leçons furent de courte durée puisque, le 29 juillet 1798, Jacques-Joseph quitta Figeac pour entrer en apprentissage à Grenoble dans la maison Chatel, Champollion et Rif, ses cousins. Ce n'est qu'en novembre suivant, lors de la réouverture provisoire de l'école de Figeac, que reprit l'éducation du jeune Jean-François; mais celui-ci, incapable de se plier à la discipline, aux horaires et aux exercices

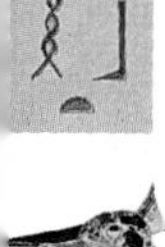

Cette curiosité des Français pour l'Egypte fut alimentée par la revue le *Courrier de l'Egypte* dont, selon la tradition familiale, le numéro annonçant la découverte de la pierre de Rosette serait arrivé dans la librairie Champollion.

C'est au goût personnel de Champollion pour l'histoire naturelle que l'on doit ces dessins si méticuleux des tombeaux de Béni-Hassan (à gauche), exécutés sous sa direction en Egypte en 1828.

répétitifs, s'y montra un élève médiocre.
Heureusement l'abbé Calmels, qui avait déjà servi de
professeur à Jacques-Joseph, prit sous sa protection
l'écolier rétif et développa ses dons pour
l'observation, en l'initiant notamment à la botanique
et à la géologie, tout en lui donnant les premières
notions de latin et vraisemblablement aussi de grec.
Mais on sait combien est forcément limitée la science
d'un seul maître, aussi Champollion accueillit-il avec
bonheur, au début de 1801, la nouvelle de son
prochain départ pour Grenoble.

Premières années grenobloises

C'est dans les derniers jours de mars que le jeune
Champollion retrouva Jacques-Joseph, qui pouvait
dorénavant prendre en main l'instruction de son cadet.
De même que c'est l'engagement comme commis à
Grenoble qui décida de tout l'avenir de Jacques-
Joseph, on peut dire que c'est le jour où ce dernier fit
venir auprès de lui son frère cadet que le destin du
déchiffreur bascula. Loin de l'autorité paternelle,
l'intimité entre les deux frères fut désormais totale.
C'est à l'époque de cette réunion à
Grenoble que l'aîné se serait fait appeler
Champollion-Figeac, ou tout
simplement Figeac,

Né en 1778, Jacques-
Joseph (ci-dessus)
sera le véritable mentor
de son frère Jean-
François, qui est aussi
son filleul, auquel le
liera toujours une quasi
gémellité. «Je te dois
tout» ou «Mon cœur
m'assure que nous ne
ferons jamais deux
personnes», lui écrira
le futur égyptologue.

«pour laisser à son jeune frère la gloire pure du seul nom de Champollion», selon la tradition. Pourtant d'après le témoignage d'Aimé Champollion-Figeac, neveu de Jean-François, Silvestre de Sacy parlait de «Champollion-Figeac le Jeune» en se remémorant sa première rencontre à Paris avec le futur égyptologue; de même, et cette fois toujours en 1812, c'est encore «M. Champollion-Figeac Jeune» qui est nommé dans le décret du 12 septembre relatif à son poste à la faculté des lettres de Grenoble! C'est plutôt tout simplement pour se distinguer, dans un premier temps, de ses cousins grenoblois, que Jacques-Joseph aurait ajouté le toponyme de sa ville natale à son nom.

Pendant les premiers mois, un professeur particulier tenta de combler les lacunes des connaissances élémentaires de Jean-François. A l'automne 1801, le jeune Figeacois entrait dans l'institution réputée de l'abbé Dussert, tout en prenant encore quelques cours supplémentaires à l'école centrale de la circonscription, notamment auprès du botaniste Villars et du dessinateur Jay.

Ses nouveaux résultats furent très satisfaisants.

L'Isère et les torrents des Alpes, mais aussi Grenoble (ci-dessous), Vif et Valbonnais enchantèrent Champollion, au point que, parvenu à la seconde cataracte du Nil lors de son voyage en Egypte, il écrira à son ami Thévenet : «Je suis toujours au fond un Dauphinois endiablé!»

אבותינו ועכשין קרבנו
המקום לעבודתו שנאמר ויאמר יהושע
אל כל העם כה אמר יי אלהי ישראל
בעבר הנהר ישבו אבותיכם מעולם תרח
אבי אברהם ואבי נחור ויעבדו אלהים אחרים

« Il y a des questions dont je désire extrêmement la solution, surtout les mots de l'histoire naturelle de la Bible. N'aurais-tu pas quelque livre qui parlât de l'histoire naturelle des livres saints ? » Ou encore : « J'ai fait un petit traité de numismatique hébraïque [...] où se trouvent quelques notions de l'ancien alphabet hébreux. J'ai aussi continué mon commentaire sur Isaïe », écrit à son frère le jeune Champollion.

Dès décembre 1801, il obtint la permission exceptionnelle d'apprendre l'hébreu avec l'abbé Dussert

Champollion est alors tout juste âgé de onze ans. C'est afin d'étudier les fondements des datations bibliques que Jean-François voulait pouvoir lire l'Ancien Testament dans le texte original : aussi s'adonna-t-il avec une véritable passion à cet apprentissage de l'hébreu pendant son premier hiver en Dauphiné. Puis, dès 1803, Jacques-Joseph permit l'initiation à trois autres langues sémitiques : l'arabe, puis le syriaque et le chaldéen, ou araméen. L'année suivante, il mettait en pratique ses nouvelles connaissances pour composer sa « première bêtise », comme il l'écrira dix ans plus tard, *Remarques sur la fable des Géants.* Il inaugurait ainsi, à quatorze ans, la méthode qui devait si bien lui réussir. Prenant pour fondement de son travail la mythologie grecque, il

La première étude publiée de Jean-François, ses *Remarques sur la fable des Géants d'après les étymologies hébraïques* (ci-dessous), réalisée en 1804, témoigne de son intérêt précoce pour les étymologies orientales.

Remarques sur la Fable des Géants,

éprouvait le besoin de préciser : «On trouvera étrange peut-être que je cherche dans les langues orientales l'étymologie des noms propres qui se trouvent dans les mythes grecs, mais l'on ne doit pas oublier que c'est de l'Orient et des Egyptiens surtout que les Grecs ont tiré la plupart de leurs fables.» Les étymologies : le mot est lâché! Toute sa vie Champollion décortiquera les mots, en historien, comme, par exemple, il l'écrira seulement quatre ans plus tard à son frère, dans une lettre qu'il lui adressera depuis Paris, le 10 octobre 1808 : «Traite-moi de fou [...]. Cela ne m'empêchera pas d'étudier mon Antiquité par les langues et les rapports d'un peuple à un autre, d'aimer les étymologies!»

Monsieur Fourier, l'«Egyptien»

C'est l'arrivée à Grenoble, le 18 avril 1802, de Joseph Fourier, le nouveau préfet de l'Isère, qui fut vraiment déterminante pour la vocation égyptienne du jeune Champollion. Comme tous les participants de l'expédition orientale de Bonaparte, qui se nommaient entre eux les «Egyptiens», le célèbre physicien et mathématicien montrait désormais un véritable engouement pour tout ce qui touchait à l'Egypte. N'avait-il pas en Haute-Egypte dirigé une commission de savants envoyée par Bonaparte pour inventorier les monuments et, au Caire, tenu le poste de secrétaire perpétuel de l'Institut d'Egypte? Chargé à ce dernier titre de la rédaction de l'introduction historique de la fameuse *Description de l'Egypte*, il disposa ainsi à Grenoble de la plupart des matériaux préparatoires au «grand ouvrage», comme on disait alors, mais aussi des anciennes archives de l'Institut d'Egypte. Même si la question de l'existence d'antiquités égyptiennes ayant appartenu à Fourier n'est pas résolue, il n'est pas douteux que les contacts étroits et fréquents avec Jacques-Joseph, nouveau secrétaire de l'Académie delphinale, mirent l'Egypte au centre des préoccupations des deux frères. Dès juin 1804, Jacques-Joseph fait à l'Académie une communication sur les inscriptions de la pierre de Rosette et, deux ans plus tard, publie

L e jeune Champollion déclara à son frère : «Je veux savoir lire l'arabe, qui a beaucoup de rapports avec l'hébreu.» Ci-dessus, un alphabet arabe.

sa *Lettre sur une inscription grecque du temple de Denderah*, adressée à M. Fourier, préfet de l'Isère. En janvier 1806, Jean-François exprimera son choix définitif : «Je veux faire de cette antique nation une étude approfondie et continuelle. L'enthousiasme où la description de leurs monuments énormes m'a porté, l'admiration dont m'ont rempli leur puissance et leurs connaissances vont s'accroître par les nouvelles notions que j'acquerrai. De tous les peuples que j'aime le mieux, je vous avouerai qu'aucun ne balance les Egyptiens dans mon cœur!»

Bonaparte, Premier consul, crée les lycées. Un établissement de ce type ouvre à Grenoble

Au début de 1804, Jean-François subit un examen à la suite duquel il obtint une bourse d'interne pour le futur lycée. C'est le 20 novembre 1804 qu'il entra pour presque trois ans dans ce qu'il appelait par avance sa «prison». Grâce à la correspondance presque quotidienne qui s'engagea alors entre les deux frères, on connaît les

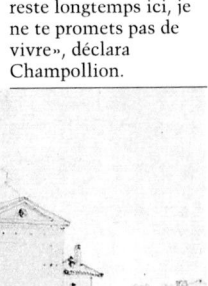

Le lycée impérial de Grenoble. «Si je reste longtemps ici, je ne te promets pas de vivre», déclara Champollion.

lectures de Jean-François : une grammaire chinoise, la grammaire arabe de Thomas van Erpe, un Coran, une grammaire éthiopienne… Après sa rencontre en juin 1805, chez Fourier, avec dom Raphaël de Monachis, l'ancien moine copte revenu d'Egypte avec l'armée française, qui lui montra la nécessité de travailler aussi l'éthiopien et lui donna d'utiles indications concernant l'étude du copte, il entreprit cet apprentissage.

La chronologie et les dynasties intéressent tout particulièrement Jean-François et c'est pour cela qu'il demande à son frère de lire alors le premier volume de la *Bibliothèque orientale* de Barthélemy d'Herbelot : «C'est un livre que je veux lire et qu'on ne saurait trop consulter pour marcher d'un pas sûr dans ce dédale de dynasties orientales, et d'ailleurs ce n'est que là qu'on se familiarise avec les noms orientaux et qu'on meuble sa mémoire de connaissances tout à fait nécessaires à quelqu'un qui est destiné à faire une étude particulière des Orientaux.»

Un lycéen à l'Académie

Au début de 1807, pendant sa troisième et dernière année de lycée, Jean-François se lance dans la rédaction d'une carte et d'un dictionnaire géographique de l'Orient dans lequel il essaie de retrouver les toponymes anciens derrière les noms

Les vignettes des papyrus ou des cercueils alimentèrent les réunions des académies et sociétés savantes provinciales dès le retour de l'armée d'Orient.

Le préfet Fourier (à gauche), qui intimida tant le jeune Champollion, protégea ses premiers travaux et, à Paris en juillet 1828, montrant la coupole du Panthéon, prédit au déchiffreur : «C'est l'Egypte qui, un jour, vous placera dans ce sanctuaire !» En fait, ces deux illustres savants reposent aujourd'hui au cimetière du Père-Lachaise, où leurs tombes sont voisines.

arabes. Chronologie, dynasties, géographie et étymologies, mais aussi initiation avec son frère à l'épigraphie, à l'archéologie et à la chasse au livre rare : Champollion possède donc, à sa sortie du lycée, les meilleures armes pour entreprendre une carrière d'orientaliste. En sus, il a depuis longtemps dépassé le cadre restreint de la seule appréciation de ses professeurs puisque non seulement Fourier, mais également plusieurs correspondants de son frère, dont l'archéologue, numismate et égyptophile parisien Millin, suivent déjà ses stupéfiants progrès.

Par ailleurs, c'est le 27 mai 1806 que le général de La Salette a lu devant le lycée des sciences et des arts de Grenoble ses *Remarques sur la fable des Géants d'après les étymologies hébraïques* qui, nous l'avons vu, ont été composées dès 1804. En revanche, le 1er septembre 1807, tout de suite après avoir quitté le lycée et dix jours avant de prendre avec son frère la diligence pour Paris, Jean-François présente lui-même devant la Société des sciences et des arts de Grenoble son *Essai de description géographique de l'Egypte avant la conquête de Cambyse.*

F ils d'un ancien colporteur, Champollion connaît bien le monde rude des pataches, des coches, des bacs, des relais et des auberges. C'est après soixante-dix heures de voyage en diligence que les deux frères arrivèrent à Paris le 13 septembre 1807.

ALPHABET ARABE, TURC, PERSAN

Voyelles Arabes

ALPHABETS ORIENTAUX ANCIENS

« Le grec, l'hébreu et ses dialectes et l'arabe, voilà ce que je brûle et je désire d'apprendre », avait écrit Champollion dès son arrivée à Grenoble ; c'est désormais à Paris, auprès des plus grands maîtres, qu'il va perfectionner sa connaissance des langues. Décédant en mars 1832, c'est donc en une trentaine d'années à peine, apprentissage compris, que le prodigieux philologue a bâti la totalité de son œuvre.

La prestation surprit et intéressa tant que, six mois plus tard, Champollion sera élu membre correspondant de cette académie. Le maire de Grenoble, Renauldon, lui annoncera la nouvelle en ces termes : « En vous nommant un de ses membres, malgré votre jeunesse, l'Académie a compté sur ce que vous avez fait, elle compte encore plus sur ce que vous pouvez faire. Elle aime à croire que vous justifierez ses espérances et si un jour vos travaux vous font un nom, vous vous souviendrez que vous avez reçu d'elle les premiers encouragements. »

ÉCOLE SPÉCIALE
DES LANGUES ORIENTALES
VIVANTES,
Près la Bibliothèque nationale.

Conformément à la Loi du 10 germinal an 3, portant qu'*il sera établi dans l'enceinte de la Bibliothèque nationale, une École publique destinée à l'enseignement des Langues Orientales vivantes, et d'une utilité reconnue pour la Politique et le Commerce, &c.*,

Les Cours établis par cette Loi commenceront, à dater du 15 frimaire an 9, dans l'ordre suivant :

COURS DE PERSAN

Le C.ᵉⁿ Langlès, *Membre de l'Institut national des Sciences et Arts*, consacrera deux leçons par décade aux principes de la Langue persane, et deux autres à l'explication de quelques fragmens des تاريخ تيمور صاحب قران Tɔrɔûkâti Tymôir ssâhheb qerân fy tadbyrât ou kenkâchehâ [Instituts politiques et militaires de Tamerlan, écrits par lui-même], et de la partie géographique du نزهة القلوب Nezahat ʾl Qolôûb, renfermant la description de la Perse, *par Hhamdoûllah, fils d'Aboûbekr, natif de Qazoïyn.*

Il donnera ses leçons les duodis, quartidis, sextidis et nonidis, à six heures et demie.

COURS D'ARABE.

Il aura lieu les mêmes jours, à quatre heures et demie.

Le C.ᵉⁿ Silvestre de Sacy donnera deux séances au développement des principes de cette Langue, et deux autres à l'explication de quelques chapitres du Qorân, et du Poëme de Kaab-ben-Zohaïr, intitulé : قصيدة بانت سعاد لكعب بن زهير بن ابي سلمى Qasydatou Bânat Soâʾdou li-Ka'bi-bni Zouhayri-bni Aby Solmâ, dont il dictera le texte à ses auditeurs.

COURS DE TURK.

Les primedi, tridi, quintidi et septidi de chaque décade, à quatre heures et demie,

Le C.ᵉⁿ Jaubert, *Secrétaire interprète de la République pour les Langues orientales*, consacrera deux leçons au développement des principes de cette Langue, et deux à l'explication du تحفة الكبار Tohhfet âl-Kobâr fy âsfâr âl- اسفار البحار تاليف حاجي خليفة الملقب بكتب جلبي

Bahhâr, ou Description de la Mer blanche et de l'Archipel, avec un Traité de la navigation, *par Hhâdjy Khalfah, surnommé Kiâtib Tcheleby*

COURS D'ARMÉNIEN

Les mêmes jours, à six heures et demie,

J. Cirbied, Arménien de nation, donnera des leçons de sa Langue maternelle. Deux leçons seront employées au développement des élémens, et deux autres à la traduction des ԴՐԱՄԱ ՊԱՆՈՒԹԻՒՆ Dramapanoution y vera pnoutian er paroiaganoutian aç kin haiorç [Dialogues sur le physique et le moral de la Nation arménienne], et du ԴՈՒՂԹ ՀԱՊՈՒԹԻՒՆ ԹԻՄԱՌՆԱԿԱՆ Dughathaphoutioun thimarnagan er oghpethagan kaghatin Ethesia y Glaetçrɔ, Poëme prosopopétique et tragique sur la ville d'Edesse, par Glaezi.

COURS DE GREC MODERNE.

Le C.ᵉⁿ d'Ansse de Villoison développera l'origine et les principes du Grec vulgaire, dictera des Dialogues pour enseigner à parler cette Langue, et expliquera ensuite le Γεωπονικόν, ou Traité d'agriculture d'*Agapius*, et l'Αραξίας μυθολογικόν, Contes arabes traduits en Grec vulgaire.

Il donnera ses leçons les duodis, quartidis, sextidis et octidis, à deux heures précises.

L. Langlès, *Président de l'École spéciale des Langues orientales.*

On entre par la porte de la rue Neuve-des-Petits-Champs.

A PARIS, DE L'IMPRIMERIE DE LA RÉPUBLIQUE. Frimaire an IX.

Nulle autre période que celle des deux années de formation passées à Paris ne reflète mieux son extraordinaire appétit de savoir et sa jubilation à apprendre. Mais toute précocité a souvent son revers, si bien que Champollion émet très rapidement un jugement féroce sur ses contemporains, source d'ennuis et d'inimitiés. N'est-ce pas un jeune homme de dix-huit ans à peine qui confie à Jacques-Joseph : «Tu n'ignores pas que tout se fait par les femmes, les secrétaires et les laquais » ?

CHAPITRE II
APPRENDRE L'HISTOIRE ET LA FAIRE

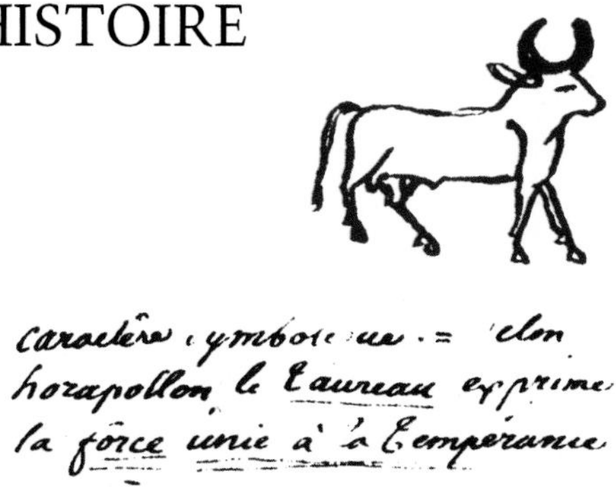

L'Ecole des langues orientales est fondée le 30 mars 1795; douze ans plus tard, elle accueillera le futur déchiffreur des hiéroglyphes. Ci-contre, le programme des cours de 1801.

caractère symbolique = selon horapollon le taureau exprime la force unie à à l'emperance

Déjà bien armé pour les langues orientales, et sur le conseil de Millin qui admirait beaucoup Silvestre de Sacy, professeur d'arabe et de persan au Collège de France, Jean-François arrive à Paris à la fin de l'été 1807 : il a dix-sept ans.

Il retrouve dom Raphaël de Monachis, professeur d'arabe à l'Ecole spéciale des langues orientales

Il obtient de travailler à la Bibliothèque impériale où, enfin, il va copier et recopier papyrus et manuscrits. Avant de repartir pour Grenoble, son frère l'installe en pension auprès d'un couple de braves gens, les Mécran, au 8, rue de l'Echelle-Saint-Honoré, et surtout le munit de lettres d'introduction auprès des principaux orientalistes de la capitale. En quelques jours à peine, le lycéen écouté à l'Académie delphinale est pratiquement devenu «un jeune de langues» comme on disait autrefois des apprentis drogmans. La lettre qu'il adressa à son frère le 27 décembre 1807 donne le détail de son impressionnant emploi du temps d'alors, partagé entre le Collège de France, la Bibliothèque impériale et l'Ecole spéciale des langues orientales, où Louis-Mathieu Langlès (1763-1824), professeur de persan et de malais, a pour lui des soins particuliers.

A droite, détail du papyrus Cadet acquis par la France à Thèbes pendant l'expédition d'Egypte et conservé aujourd'hui à la Bibliothèque nationale.

« L'entrée à l'Ecole spéciale des langues orientales me procurera mon admission à la Bibliothèque impériale (ci-dessous); alors je pourrai m'adonner totalement à l'étude de l'arabe, du syriaque, de l'hébreu, du chaldéen, du persan...» et à celle des papyrus égyptiens, aurait dû ajouter Champollion, dans cette lettre à son frère.

Les bons sentiments envers Langlès évoluent cependant assez rapidement puisque, dans une lettre du 7 mars 1809, Jean-François écrit à son frère : «Avec M. Langlès je ne suis ni bien ni mal; je suis comme tout le monde, c'est-à-dire *pro nihilo*; et de rien ne servent les recommandations auprès d'un homme qui, comme tous nos parvenus, ne pense qu'à lui, ment pour se donner de la réputation et sous les dehors obligeants cache un cœur égoïste.» Le trait incisif, bien illustré par les sobriquets dont beaucoup de ses contemporains feront les frais, perce déjà sous la plume de Jean-François. Tout autre en revanche est son appréciation, dans la même lettre, sur Silvestre de Sacy : «Quant à M. de Sacy, c'est différent. Celui-ci est un savant, et, qui plus est, modeste. Mais il ne se lie avec personne; j'espère au reste par mon travail me bien faire venir auprès de lui.»

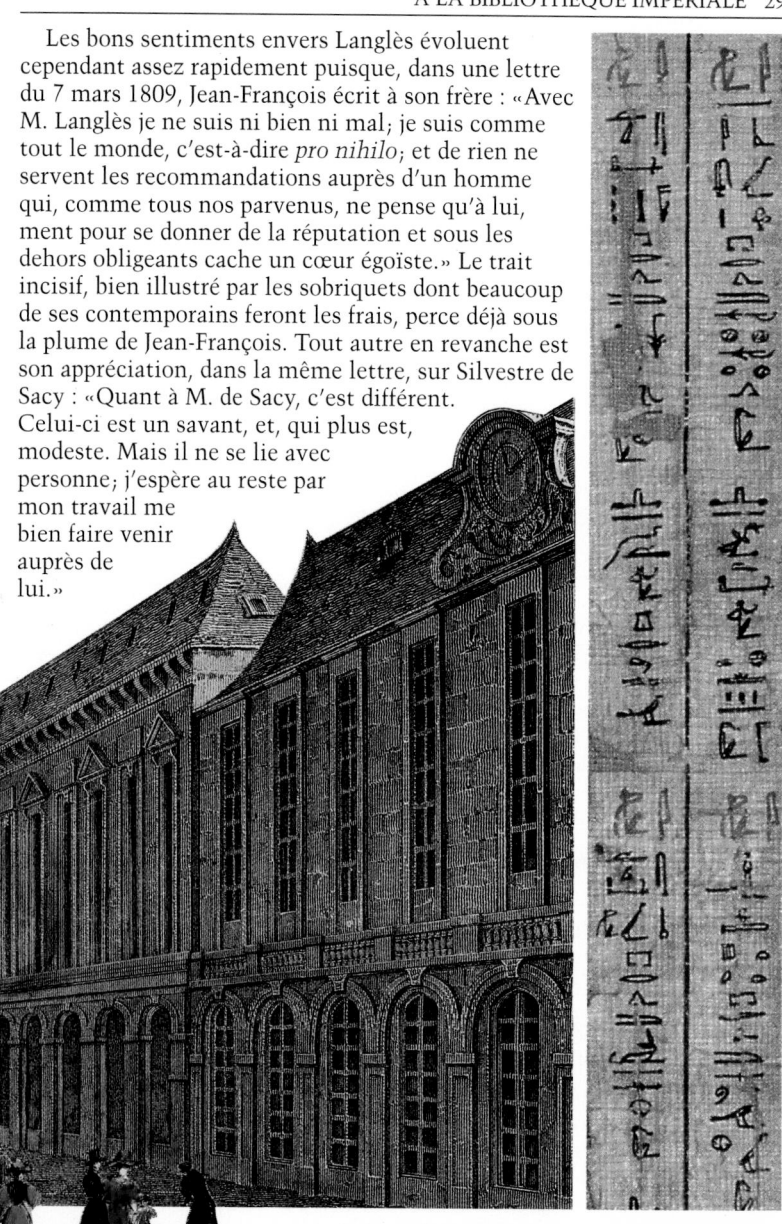

«Savoir l'égyptien comme mon français!»

Langlès ayant refusé de donner à Champollion un certificat d'études pour 1808, ce dernier paraît avoir pris en grippe l'Ecole spéciale : «Je t'ai déjà dit mille fois que l'Ecole spéciale ne me mènerait à rien. Je te le répète», écrit-il à son frère, toujours le 7 mars 1809. Et plus loin : «Je travaille. Et je me livre entièrement au copte, les jours et les heures qui me sont inutiles pour l'Ecole spéciale. Je veux savoir l'égyptien comme mon français, parce que sur cette langue sera basé mon grand travail sur les papyrus égyptiens.» Cette double indication, affirmation claire de l'accès à l'égyptien ancien par le copte et, déjà, annonce du «grand travail», mérite attention car c'est à cette époque, en mars 1809, qu'il faudrait, en fait, situer le début de l'égyptologie et non en septembre 1822. En procédant ainsi, on n'occulterait plus autant la période nécessaire des tâtonnements, fourvoiements ou doutes. Et puis, 1809 est aussi l'époque où Champollion définit, pour la première fois semble-t-il, sa position et sa méthode dans son compte rendu, non publié de son vivant, de l'ouvrage que fait paraître alors Marie-Alexandre Lenoir, «antiquaire» et conservateur de l'impératrice Joséphine, *Nouvelle Explication des hiéroglyphes ou anciennes allégories sacrées des Egyptiens*.

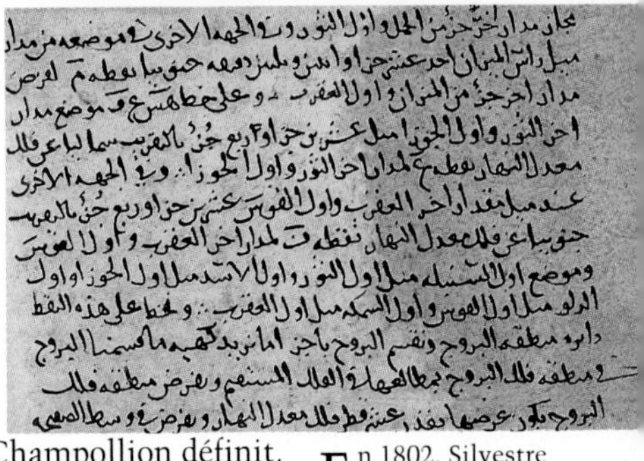

Un seul objectif désormais : maîtriser véritablement le copte pour retrouver enfin la langue des sujets de Pharaon

Quant au copte, travaillé alors avec un vicaire égyptien de Saint-Roch, Chiftichi, ancien auxiliaire de l'armée d'Orient et collaborateur occasionnel de la *Description de l'Egypte*, dans une lettre du 2 avril

En 1802, Silvestre de Sacy fut un des premiers à étudier l'inscription démotique de la pierre de Rosette. Croyant à un système alphabétique, il classa les signes en vingt-cinq groupes mais ne put aller plus loin. Professeur d'arabe (ci-dessus) et maître incontesté des études orientales, il jugea d'abord sévèrement les travaux de Champollion avant de se rallier à son système.

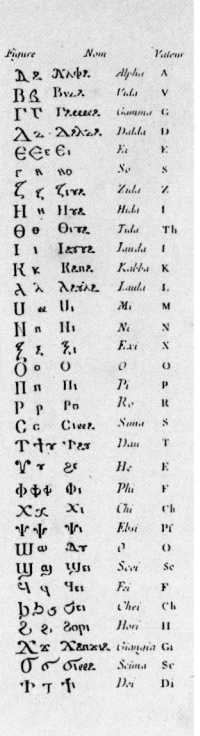

Figure	Nom	Valeur
Ⲁ ⲁ	Ⲁⲗⲫⲁ	Alpha A
Ⲃ ⲃ	Ⲃⲏⲧⲁ	Vida V
Ⲅ ⲅ	Ⲅⲁⲙⲙⲁ	Gamma G
Ⲇ ⲇ	Ⲇⲁⲗⲇⲁ	Dalda D
Ⲉ ⲉ Ⲉⲓ	Ⲉⲓ	Ei E
Ⲋ	ⲛⲟ	So S
Ⲍ ⲍ	Ⲍⲓⲧⲁ	Zida Z
Ⲏ ⲏ	Ⲏⲧⲁ	Hida I
Ⲑ ⲑ	Ⲑⲏⲧⲁ	Tida Th
Ⲓ ⲓ	Ⲓⲁⲩⲧⲁ	Iauda I
Ⲕ ⲕ	Ⲕⲁⲡⲁ	Kabba K
Ⲗ ⲗ	Ⲗⲁⲩⲗⲁ	Laula L
Ⲙ ⲙ	Ⲙⲓ	Mi M
Ⲛ ⲛ	Ⲛⲓ	Ni N
Ⲝ ⲝ	ⲝⲓ	Exi X
Ⲟ ⲟ	Ⲟ	O O
Ⲡ ⲡ	Ⲡⲓ	Pi P
Ⲣ ⲣ	Ⲣⲟ	Ro R
Ⲥ ⲥ	Ⲥⲓⲙⲁ	Sima S
Ⲧ ⲧ	Ⲧⲁⲩ	Dau T
Ⲩ ⲩ	ⲩ	He E
Ⲫ ⲫ	Ⲫⲓ	Phi F
Ⲭ ⲭ	ⲭⲓ	Chi Ch
Ⲯ ⲯ	Ⲯⲓ	Ebsi Ps
Ⲱ ⲱ	ⲁⲩ	O O
Ϣ ϣ	Ϣⲁⲓ	Scei Sc
Ϥ ϥ	Ϥⲁⲓ	Fei F
Ϧ ϧ	ϧⲉⲓ	Chei Ch
Ϩ ϩ	ϩⲟⲣⲓ	Hori H
Ϫ ϫ	Ϫⲁⲛϫⲁ	Giangia Gi
Ϭ ϭ	Ϭⲓⲙⲁ	Scima Sc
Ϯ ϯ	ϯ	Dei Di

1809, Champollion affirme que, pour s'amuser, il traduit en copte tout ce qui lui passe par la tête. «Je parle copte tout seul, écrit-il à son frère, c'est le vrai moyen de me mettre mon égyptien pur dans la tête. Après cela, j'attaquerai les papyrus [...]. Selon moi, le copte est la plus parfaite et la plus raisonnée langue connue.» Ou encore, le 21 avril : «Mon copte va toujours son train et j'y trouve vraiment de grandes jouissances car tu dois penser que ce n'en est point une petite que de parler la langue de mes chers Aménophis III, Sethosis, Ramsès, Thoutmosis, etc.» Dès lors, l'idée du dictionnaire copte prend corps : «J'ai fait la lettre A(ⲁ) d'un dictionnaire sahidique (il n'en existe point); j'ai parachevé sept lettres d'un dictionnaire memphitique par racines et rangé différemment que celui de Lacroze.» Il s'agit de

A l'alphabet grec, les coptes adjoignirent sept lettres d'origine démotique pour représenter tous les sons de la langue. Ci-dessus, l'alphabet copte.

A gauche, l'église Saint-Roch, rue Saint-Honoré, où Champollion rencontra le vicaire Chiftichi, son répétiteur de copte, et où sera dressé son catafalque en mars 1832.

l'ouvrage publié dès 1775, *Lexicon Aegytiaco-Latinum*, qui servit de base à Champollion, lequel, le 21 avril suivant, précisera à son frère : «Ecris à M. Millin pour le prier de me céder son dictionnaire copte de Lacroze. Je ne puis m'en passer. Je le ferai interfolier et j'y ajouterai plus de mille mots.» On le voit, et les soins particuliers donnés à cette dernière étude l'attestent clairement, dès cette date Champollion est bien persuadé que la langue liturgique des chrétiens d'Egypte n'est autre que l'égyptien ancien écrit en caractères grecs. S'il n'est pas le premier à émettre une telle hypothèse, Jean-François sera le seul à pouvoir en tirer toutes les conclusions.

Première approche de la pierre de Rosette

C'est à cette époque également que, sur le conseil de son frère, il commence à s'atteler à l'étude de la pierre de Rosette dont, il faut le souligner, il ne verra jamais l'original. Trouvé en effet en juillet 1799 par un officier français pendant la campagne d'Egypte, le monument tomba aux mains des Anglais après la capitulation française et fut envoyé à Londres. Or, contrairement à ce qui a parfois été écrit, Champollion n'est jamais allé en Grande-Bretagne. C'est donc sur des estampages et d'après plusieurs copies de cette stèle capitale que fut si patiemment interrogé le texte fondamental qui allait conduire au déchiffrement des hiéroglyphes. Il s'agit d'une stèle au cintre perdu, comportant trois parties : en haut un texte gravé en caractères hiéroglyphiques, dans la partie médiane, un texte en caractères cursifs et, en bas, un texte en caractères grecs. Ayant rapidement traduit ce dernier, qui est la copie d'un décret de Ptolémée V (196 av. J.-C.), les savants de l'expédition d'Egypte supposèrent, avec raison, que le texte grec était la traduction des deux premiers et fondèrent l'espoir de percer le secret de l'écriture hiéroglyphique,

Trouvée pendant la campagne d'Egypte, près de Rosette, par l'officier Bouchard, la stèle dont on pressentit immédiatement l'importance fut considérée comme butin de guerre par les Anglais, après la capitulation française à Alexandrie en 1801. Elle est aujourd'hui au British Museum.

et ce dès l'article annonçant la découverte de la stèle dans le *Courrier de l'Egypte* : «Cette pierre offre un grand intérêt pour l'étude des caractères hiéroglyphiques, peut-être même en donnera-t-elle enfin la clef.» On ne s'étonnera donc pas que le 21 avril 1809, Jean-François écrive à son frère, qui, nous l'avons vu, avait, en juin 1804, présenté à l'Académie delphinale sa propre étude du monument : «Tu me conseilles d'étudier l'inscription de Rosette. C'est justement là par où je veux commencer.»

On le voit, le printemps 1809 est donc bien l'époque à laquelle Champollion commence effectivement ses travaux sur l'égyptien.

Retour à Grenoble

Mais Champollion ne se plaît pas à Paris, où il mène une vie d'étudiant pauvre, mal vêtu, mal nourri, existence qui attendrit sans peine une certaine Louise Deschamps, jeune personne mal mariée, mais le retient de fréquenter véritablement ceux que ses progrès rapides intéressent. Si bien que Jacques-Joseph, alors bibliothécaire adjoint, professeur de littérature grecque et secrétaire général de la faculté des lettres de Grenoble, le fait nommer auprès de lui après plusieurs démarches. A dix-huit ans et demi, Jean-François devient donc professeur adjoint d'histoire ancienne. En octobre 1809, le jeune orientaliste retrouve ainsi son frère mais également ses anciens camarades de lycée et loge alors chez les Berriat, dont Jacques-Joseph a épousé la fille Zoé, deux ans auparavant.

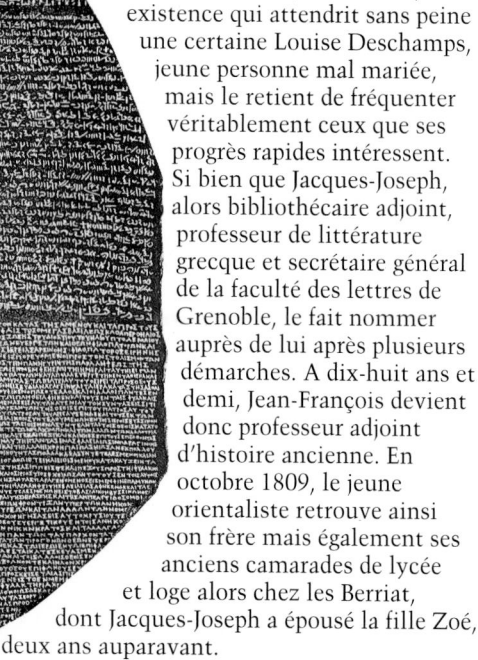

Cette empreinte (ci-dessous) de la fameuse pierre, sorte de lithographie avant la lettre, fut réalisée à même la stèle, qui avait été préalablement encrée, par Marcel et Galland de l'imprimerie du Caire.

Dès janvier 1810, et par décret, les deux frères sont nommés docteurs ès lettres alors que, le 30 mai suivant, Jean-François prononce le discours d'ouverture de son cours, inaugurant ainsi sa carrière professorale qui, compte tenu des troubles politiques et des engagements des frères Champollion, devait connaître bien des vicissitudes jusqu'à la perte définitive de sa chaire et l'abandon de Grenoble en juillet 1821. «Je suis parvenu à me faire ôter cinq fois de suite les divers emplois qu'on m'avait confiés», avouera-t-il le 18 novembre 1826 à son amie italienne Angelica Palli, reconnaissant que «son influence sur les jeunes Dauphinois, amis de la liberté, et qui pour la plupart avaient été tour à tour ses condisciples et ses élèves, l'avait mis [lui] en évidence».

Si cette dizaine d'années grenobloises tant agitées formèrent définitivement le professeur d'histoire et développèrent ses convictions républicaines, elles furent cependant assez préjudiciables au développement des recherches du jeune orientaliste, qui dut les

Quatre mois à peine après l'acclamation de Napoléon, par les Grenoblois, à son retour de l'île d'Elbe (ci-dessus, le 7 mars 1815), Champollion, désabusé, écrira : «Dans les temps où nous sommes, au milieu des épouvantables révolutions [...], nous ne devons songer qu'à vivre physiquement sans nous laisser éblouir par des illusions lointaines!»

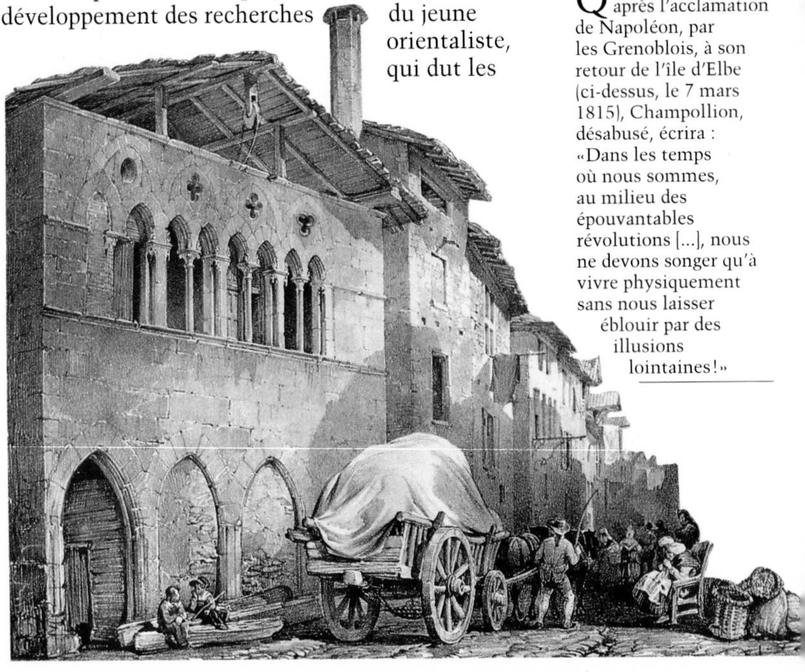

interrompre à plusieurs reprises. En effet, l'engagement politique de Jacques-Joseph pendant les Cent-Jours livra, dans les débuts de la seconde Restauration, les Champollion aux représailles des ultras, qui réussirent finalement à les faire chasser de l'Isère pour les renvoyer en Quercy.

Mars 1816 : l'exil à Figeac

«Depuis longtemps, les frères Champollion étaient désignés par l'opinion générale comme ennemis du gouvernement, d'autant plus à craindre qu'ils réunissent beaucoup d'hypocrisie à beaucoup de talent, d'esprit et de connaissances. M. le Préfet leur a ordonné de se rendre à Figeac», écrit dans un rapport du 19 mars 1816 le commissaire général de police à Grenoble. Faisant contre mauvaise fortune bon cœur, les deux frères s'adonnèrent à l'archéologie à Capdenac-le-Haut et, à Figeac, développèrent l'enseignement mutuel selon la méthode Lancaster. Mais l'interruption de ses travaux indisposait Jean-François, surtout après le départ pour Paris, au printemps 1817, de son frère qui, ayant perdu ses deux postes à la faculté et à la bibliothèque de Grenoble, s'était tourné désormais vers la capitale. Il y devint très rapidement l'homme de confiance

Pendant son exil à Figeac (à gauche), Champollion continua ses recherches sur l'inscription de Rosette, comme en témoigne cette lettre de juillet 1817 à son ami Thévenet, resté à Grenoble : «Tu as dû retirer mes papiers de mon cabinet [...] et les avoir chez toi.[...] Il s'agira de choisir parmi eux : 1° Une gravure d'inscription égyptienne et grecque, grande, longue et collée sur toile. C'est l'inscription de Rosette; 2° La même inscription en hiéroglyphes et collée sur un carton [...]. Il faudrait prendre tout cela [...] en faire un paquet le plus serré possible [...]. Si cela est possible, tu me l'enverrais de suite.»

et le collaborateur de l'helléniste Bon-Joseph Dacier, le secrétaire perpétuel de l'Académie des inscriptions et belles-lettres.

Par une lettre envoyée de Figeac à son ami Augustin Thévenet, le 18 juillet 1817, on apprend où, à Grenoble, les manuscrits de Champollion furent conservés pendant l'exil à Figeac, à quel état d'avancement était parvenue son étude de la pierre de Rosette au moment du départ de Grenoble et son désir de la reprendre.

Dauphinois à nouveau

Jean-François put enfin regagner Grenoble, le 21 octobre 1817, où rapidement le préfet d'Arnouville, un modéré, lui confia l'organisation de l'enseignement mutuel dans l'Isère. L'année suivante, Champollion retrouve ses fonctions à la bibliothèque de Grenoble ainsi qu'un poste de professeur d'histoire, si bien que, le 30 décembre, il peut épouser Rosine (ou Rose) Blanc, la fille d'un gantier de Grenoble : il a vingt-huit ans et, par ses publications et communications, commence à être connu. L'Empereur lui-même n'avait-il pas promis, pendant les Cent-Jours, l'édition de la *Grammaire* et du *Dictionnaire* coptes ? Et Jean-François, avec une dédicace à Louis XVIII, n'avait-il pas publié, dès 1814,

L'ÉGYPTE

SOUS

LES PHARAONS,

OU

RECHERCHES

Sur la Géographie, la Religion, la Langue, les Écritures et l'Histoire de l'Égypte avant l'invasion de Cambyse;

Par M. CHAMPOLLION le jeune,

la première partie de son *Egypte sous les pharaons ou Recherches sur la géographie, la religion, la langue, les écritures et l'histoire de l'Egypte avant l'invasion de Cambyse*? Enfin, il poursuit son étude du texte majeur dont, le 19 août 1818, il vient de présenter à l'Académie delphinale un mémoire, *Quelques hiéroglyphes de la pierre de Rosette*. Mais en 1821, des troubles éclatent à nouveau à Grenoble, Jean-François perd son poste de professeur et, après diverses péripéties, décide de prendre la diligence pour Paris, le 11 juillet. La page dauphinoise est tournée et sa carrière universitaire stoppée; tout son temps peut maintenant être consacré à sa recherche principale : l'Egypte.

« Le temps des projets de gloire littéraire est passé. Notre nation ne doit plus prétendre à aucune espèce de triomphe», écrira à son frère un Champollion amer, un an seulement après son coup d'essai, la première partie de son *Egypte sous les pharaons* (ci-contre), en 1814.

Mieux encore que dans ses diverses lettres, son *Précis* ou sa *Grammaire*, c'est dans ces innombrables fiches préparatoires aux dictionnaires copte et hiéroglyphique (page de gauche), que percent le vif esprit d'analyse de Champollion et sa faculté à intégrer immédiatement de nouvelles connaissances; que ce soit la forme inattendue d'un signe ou l'apparition d'un mot nouveau, tout est noté et classé.

L e génie n'est pas un simple don des fées et rien ne se découvre par hasard même si, une fois le voile ôté, la clarté de l'énoncé du théorème peut tromper. Le déchiffrement des hiéroglyphes, en septembre 1822, après quinze siècles de silence, n'échappe pas à la règle et cette prodigieuse découverte de Champollion fut ponctuée de rebroussements, voire d'arrêts, et suscita même chez lui plusieurs périodes de découragement.

CHAPITRE III

QUATRE ANNÉES D'ÉTUDE POUR QUINZE SIÈCLES DE SILENCE

L e déchiffreur en 1823 tenant à la main son fameux *Tableau des signes hiéroglyphiques.* «Champollion a consumé sa vie à lire des hiéroglyphes», écrira Balzac, dix-neuf ans plus tard,

dans *Théorie de la démarche.* A droite, le cartouche-prénom de Philométor, ou Evergète II, avec «héritier des dieux Epiphanes», c'est-à-dire «fils de Ptolémée V et Cléopâtre Iere».

«Il faut tâcher de venir à bout de l'inscription égyptienne. C'est bien mon projet», écrivait Champollion à son frère en 1814, avouant même : «Enfin je perscrute toujours l'inscription de Rosette, mais sans notables succès.» Installé à Paris près de l'Institut, chez Jacques-Joseph, au 28, rue Mazarine, Jean-François peut donner un nouveau tour à ses recherches et, le 27 août 1821, son *Mémoire sur l'écriture hiératique,* lu à l'Académie des inscriptions et belles-lettres, présente déjà un résultat de taille : l'étroite parenté entre les trois écritures égyptiennes. Publié la même année à Grenoble, ce travail remonte en fait à 1819.

L'alphabétique sacrée est une «tachygraphie hiéroglyphique»

Dans ce mémoire, Champollion passe au crible les opinions qui ont été émises au sujet de la cursive nommée «hiératique» ou «sacerdotale» par Clément d'Alexandrie, et que, depuis une dizaine d'années déjà, il distingue du démotique, en nommant respectivement les deux écritures : l'alphabétique sacrée et l'alphabétique vulgaire, car, comme ses prédécesseurs, il a imaginé au départ être en présence d'un système alphabétique. Toutefois, sa collection de signes différents rigoureusement classée en fiches dépassant le nombre de trois cents, force fut de conclure qu'il ne pouvait plus s'agir d'un alphabet : d'où l'idée que la relation entre le hiératique et les hiéroglyphes, très nombreux et variés eux aussi, devait être plus étroite qu'on ne le pensait. Servie par la présence des vignettes sur plusieurs papyrus funéraires datant de l'époque ptolémaïque, l'étude comparative des textes correspondants conduisit Champollion à une découverte fondamentale pour la suite : «L'écriture des papyrus n'est qu'une simple modification du système hiéroglyphique… inspirée par le désir d'abréger le tracé des signes, on peut

Cette copie d'un contrat rédigé en démotique, et datant du début de l'époque ptolémaïque, fut exécutée par Champollion. C'est grâce à la mention d'origine, portée par lui sur ce relevé, que l'on sait qu'une partie de ce papyrus, aujourd'hui partagé entre le Louvre et la Bibliothèque nationale, se trouvait autrefois dans le cabinet de Vivant Denon. C'est d'ailleurs Champollion qui en conseilla l'achat.

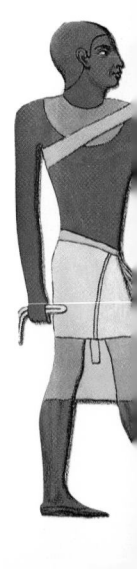

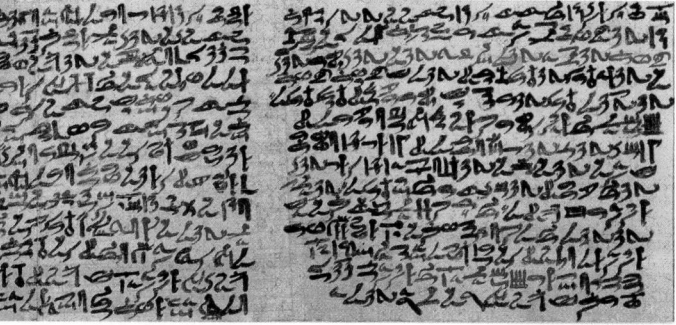

l'appeler une tachygraphie hiéroglyphique. » Le hiératique étant solidaire du démotique, les trois écritures égyptiennes forment donc un tout et obéissent aux mêmes règles. Cette comparaison si minutieuse des manuscrits l'induit aussi à repérer l'existence de signes homophones : des équivalences qui se révélèrent très précieuses pour le déchiffrement des hiéroglyphes.

Premiers jalons d'un alphabet possible

C'est par l'étude des cartouches des souverains tardifs d'origine étrangère, où le nom avait été rendu alphabétiquement, que Champollion parvint au but. Après Akerblad et comme Young, il reconnut d'abord sur la pierre de Rosette la transcription démotique de noms propres grecs. Comme le physicien anglais, et apparemment de manière tout à fait indépendante, Champollion se fixa sur l'analyse du nom de Ptolémée, à la fois en démotique et en hiéroglyphes. La collection de papyrus rapportée par Casati, un voyageur qui visita l'Egypte au cours de l'hiver 1820-1821, contenait un nouveau document bilingue : un contrat rédigé en démotique et en grec daté de l'an 36 de Ptolémée Philométor, qui fournit la forme démotique

Une écriture hiératique très soignée : celle du papyrus Prisse (ci-dessus). Ce manuscrit contenant des textes sapientiaux fut acquis en Egypte une dizaine d'années après le décès du déchiffreur, par Prisse d'Avennes, ingénieur français converti à l'égyptologie par la lecture de la *Grammaire égyptienne* de Champollion.

du nom de Cléopâtre. Le même nom, écrit cette fois en hiéroglyphes, fut repéré par Champollion sur l'obélisque Bankes, en janvier 1822, découverte dans laquelle l'helléniste Letronne voulut revendiquer une part : «En me hâtant de publier l'inscription grecque du socle de l'obélisque [...], j'ai été assez heureux pour fournir à M. Champollion le Jeune l'élément principal de sa découverte.» Cet ancien condisciple au Collège

L a vie parisienne de Champollion ne lui permit guère de profiter des établissements en vogue, comme, au Palais royal, ce café des Frères Provençaux, cher à Balzac, et dont l'égyptologue se contenta plusieurs fois du «dîner de quarante sous».

de France alla même jusqu'à écrire, en 1823 :
«M. Champollion le Jeune aurait fait sa découverte
beaucoup plus tard; et peut-être même n'aurait-elle
jamais été faite en France»! Mais si Bankes a pu
supposer que le nom de Cléopâtre figurait en
hiéroglyphes sur son obélisque prélevé à Philae, il n'a
rien publié à ce sujet et aurait été bien incapable d'en
apporter alors la démonstration, même avec l'aide de
son ami Thomas Young.

ΚΛΕΟΠΑΤΡΑ suivi des signes du féminin = ce cartouche est sur l'obélisque de Philée et se rapporte aux deux cléopâtre mère et fille toutes deux femmes d'Évergète deux.

ΚΛΟΠΤΡα ΤΥΘΕΕΡΕ ὑπρρο Cléopâtre fille du Roi (Philométor)

Un abécédaire exotique à l'usage des Lagides et des empereurs de Rome

La comparaison entre les signes notant le nom de
Ptolémée et ceux du nom de Cléopâtre s'avéra
concluante, et immédiatement ce début d'alphabet
fut appliqué par Champollion qui, selon le même
Letronne, «a lu distinctement les noms des Lagides
et des empereurs gravés sur plusieurs temples de
l'Egypte, et occupant ces cartels ou cartouches qu'on
sait avoir été destinés à contenir les noms des rois et
des reines du pays. Il les a découverts principalement
à Denderah, sur le monolithe d'Apollonopolis-Parva,
sur les temples de Philae, sur la porte de Karnak, sur
les temples d'Ombos, d'Edfou, d'Esné; c'est-à-dire,
sur ceux que les indices tirés, soit des inscriptions
grecques, soit du caractère du style, prouvaient avoir
été bâtis ou sculptés en tout ou en partie à l'époque
des Grecs et des Romains.» Très vite, en effet,
Champollion lit complètement d'autres noms et
épithètes : Alexandre, qui lui donne trois nouveaux
signes, puis Autocrator, César, Tibère, Domitien-
Auguste surnommé Germanicus, Vespasien, Nerva,
Trajan, Hadrien, Sabine, Antonin…

Souverains hellénistiques et empereurs romains reçurent une titulature «à l'égyptienne» qui compléta leur effigie en pharaon (ci-dessus le cartouche de Cléopâtre et son analyse par Champollion), dans les nombreux bas-reliefs ornant les temples et monuments divers. C'est grâce à cette déviation de l'écriture hiéroglyphique que la langue des pharaons fut sauvée d'un oubli total.

Dès 1819, le médecin et linguiste anglais Thomas Young publia une analyse de la triple inscription de Rosette, qu'il reprit dans *Hieroglyphics* (page de gauche), sa publication en fascicules, éditée à Londres en 1823.

De la lettre à l'esprit

Si l'application du principe alphabétique produisit de tels résultats avec les noms tardifs, cette méthode était toutefois insuffisante pour conduire seule au déchiffrement des hiéroglyphes. Ce n'est que le 14 septembre 1822 que la véritable illumination eut lieu et que Champollion comprit que l'écriture hiéroglyphique combine à la fois idéogrammes et signes phonétiques, dont certains seulement sont alphabétiques. Un résultat que lui seul est parvenu à atteindre et qu'il faut compléter avec son précédent repérage de l'existence de signes déterminatifs, c'est-à-dire des hiéroglyphes n'ayant aucune valeur phonétique dans cet emploi particulier mais retenus par le scribe pour fournir une information sur le mot auquel ils sont juxtaposés. C'est dans sa *Grammaire*, mise au net après son retour d'Egypte et publiée après son décès, que Champollion trouve la meilleure formule pour caractériser cette écriture : «C'est un système complexe, une écriture tout à la fois figurative, symbolique et phonétique, dans un même texte, une même phrase, je dirais presque dans le même mot.»

«Je tiens mon affaire!»

C'est dans des documents envoyés d'Egypte par son ami l'architecte Jean-Nicolas Huyot que Champollion repéra ce 14 septembre la forme simplifiée du nom de Ramsès II, relevée à Abou Simbel en 1819. Son alphabet hiéroglyphique lui indiquait que les deux derniers signes correspondaient à deux *s*; quant au signe les précédant, d'après une lettre conservée à l'Académie de Lyon, nous savons qu'il en avait deviné la lecture correcte *ms* depuis deux ans et qu'il en saisissait le sens par le copte *mice*, «mettre au monde». Restait le premier signe, un disque solaire, Râ, en copte. Non seulement le nom de l'un des plus célèbres pharaons, Ramsès, était ainsi déchiffré, mais on en possédait aussi la traduction : «Râ l'a mis au monde»! Un autre cartouche, également relevé par Huyot, fournit de la même façon le Thoutmosis des abrégés grecs de Manéthon, puisque cette fois l'ibis sacré du dieu Thot y remplaçait le disque solaire et que les signes *ms* et *s* s'y retrouvaient. D'après son neveu, Aimé Champollion-Figeac, le déchiffreur fit immédiatement part de sa découverte à son frère en jetant sur son bureau une liasse de papiers et en s'écriant «Je tiens mon affaire!» D'après la même source, mais il faut se méfier de la tradition familiale, «un affaissement physique et moral s'empara tout à coup de l'auteur de l'immortelle découverte; ses jambes ne le soutenaient plus, son esprit se trouva saisi d'une sorte d'assoupissement. On le coucha».

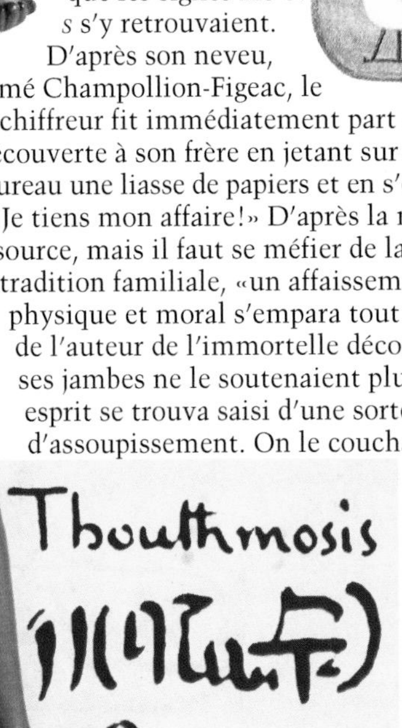

Thouthmosis

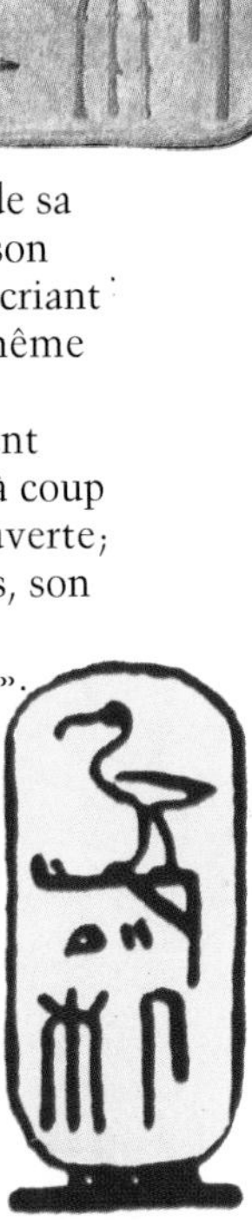

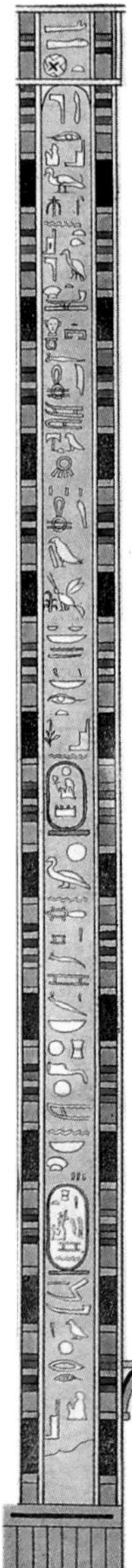

Θωστμις

Le brevet du déchiffreur : la «Lettre à M. Dacier»

Le manuscrit du plus important des mémoires de Champollion, celui dont une partie seulement fut lue à l'Académie des inscriptions et belles-lettres dans sa célèbre séance du vendredi 27 septembre 1822, en présence de Thomas Young et à côté des communications de Rémusat, Jomard et Silvestre de Sacy, avait été rédigé par son frère – à l'exclusion toutefois du tableau des vingt-quatre signes

Ce tableau des hiéroglyphes phonétiques (ci-dessous) constituant la fameuse planche IV accompagnant la *Lettre à M. Dacier* est la conclusion de treize années de labeur acharné.

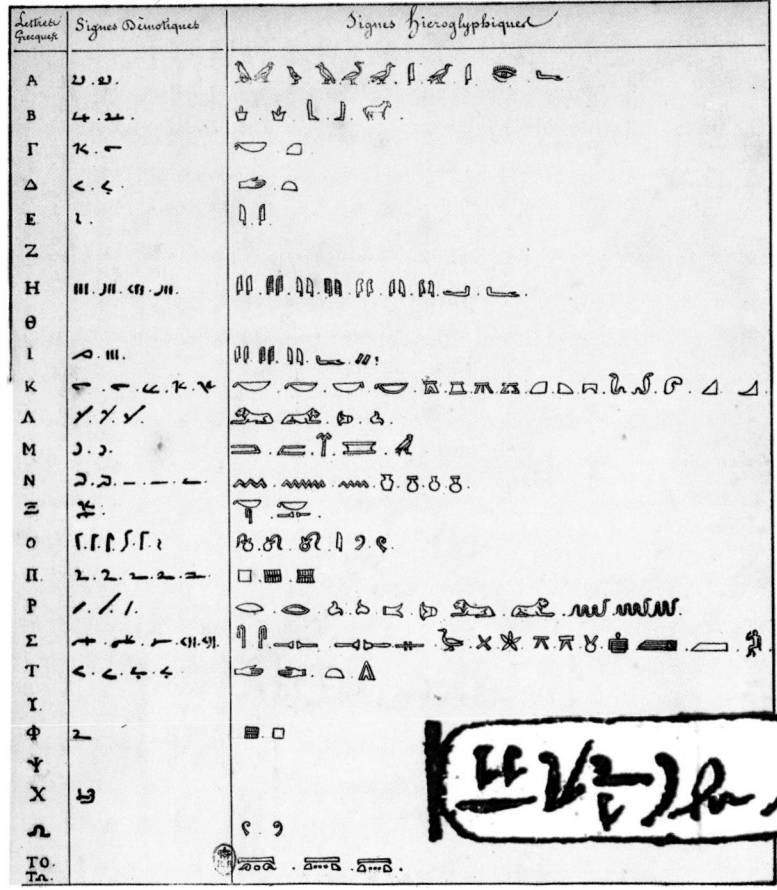

LETTRE

A M. DACIER,

SECRÉTAIRE PERPÉTUEL DE L'ACADÉMIE ROYALE
DES INSCRIPTIONS ET BELLES-LETTRES,

RELATIVE A L'ALPHABET

DES HIÉROGLYPHES PHONÉTIQUES

EMPLOYÉS PAR LES ÉGYPTIENS POUR INSCRIRE SUR LEURS MONUMENTS
LES TITRES, LES NOMS ET LES SURNOMS DES SOUVERAINS GRECS ET
ROMAINS ;

PAR M. CHAMPOLLION LE JEUNE.

alphabétiques égyptiens avec leurs correspondants en grec et en copte. Le fascicule d'octobre du *Journal des savants* en publia le résumé sous le titre *Extrait d'un mémoire relatif à l'alphabet des hiéroglyphes phonétiques égyptiens*, et quelques modifications dans la forme firent de ce mémoire une *Lettre*. Adressée dans une première rédaction au président de l'Académie, le baron Silvestre de Sacy, puis finalement au patron de Jacques-Joseph et protecteur bienveillant des travaux de Champollion, elle fut datée conventionnellement du 22 septembre – époque de l'achèvement du manuscrit de la communication – et diffusée à la fin d'octobre 1822 : c'est la fameuse *Lettre à M. Dacier, secrétaire perpétuel de l'Académie royale des Inscriptions et Belles-Lettres, relative à l'alphabet des hiéroglyphes phonétiques employés par les Egyptiens pour inscrire sur leurs monuments les titres, les noms et les surnoms des souverains grecs et romains.*

De la «Lettre» au «Précis»

Tout au long de ses travaux, l'auteur est en avance sur ce qu'il publie : ainsi signe-t-il de son nom en signes hiéroglyphiques et démotiques les quatre planches en dépliant qui accompagnent cette *Lettre*, utilisant pour cela des signes dont la valeur n'est pas encore sur la quatrième planche; cette dernière constitue son tableau des signes «phonétiques», tant

De même que Joseph Fourier et Aubin-Louis Millin, conservateur à la Bibliothèque nationale, avaient encouragé les débuts du jeune Champollion, l'helléniste Bon-Joseph Dacier (ci-dessus) accueillit chaleureusement les premiers résultats de l'égyptologue et favorisa l'impression de ses premiers travaux. Jacques-Joseph et Jean-François se lièrent d'affection avec le secrétaire perpétuel de l'Académie des inscriptions et belles-lettres, et eurent pour lui des sentiments quasi filiaux.

démotiques que hiéroglyphiques, dont les valeurs proposées sont toujours utilisées aujourd'hui. Il laisse déjà pressentir à son lecteur que l'écriture phonétique précéda de beaucoup la composition des titulatures tardives : «Je pense donc, monsieur, que l'écriture phonétique exista en Egypte à une époque fort reculée; qu'elle était d'abord une partie nécessaire de l'écriture idéographique.» La démonstration ne se fera pas longtemps attendre et sera développée dans le grand ouvrage publié en 1824 aux frais de l'Etat, *Précis du système hiéroglyphique des anciens Egyptiens.* dont la dédicace au roi Louis XVIII explique que l'alphabet des hiéroglyphes phonétiques, appliqué aux monuments des âges antérieurs à la domination des Ptolémées et des Césars, doit «nous montrer l'Egypte tout entière avec ses vieux pharaons et leurs prodigieux et impérissables ouvrages». Nous retrouvons ainsi non seulement Ramsès et Thoutmosis mais aussi cette «langue de ses chers Aménophis III et Sethosis».

«Un prodigieux effort de divination et de génie», dira Silvestre de Sacy dans son éloge académique en 1833

Pour connaître le véritable sentiment qu'inspire à Champollion sa découverte, il suffit de se reporter à la lettre que, dès le 15 octobre 1822, il adressa à André Blanc, son beau-frère : «Mon bon ange me conduisit à une de ces découvertes littéraires qui suffisent pour établir à perpétuité la gloire d'un savant.» Effectivement, la gloire ne lui fut pas mesurée et le duc d'Orléans, à la séance générale de la Société asiatique qu'il

K hnoum, le dieu-bélier qui façonna l'humanité sur son tour de potier et dont l'iconographie influença fortement celle d'Amon.

CHAMPOLLION
LE JEUNE
PRÉCIS
DU SYSTÈME
HIÉROGLYPHIQUE

présidait, le 21 avril 1823, entouré de toutes les sommités de l'orientalisme, Dacier, Silvestre de Sacy, Rémusat et aussi Alexandre de Humboldt, déclara solennellement : «La brillante découverte de l'alphabet hiéroglyphique est honorable non seulement pour le savant qui l'a faite, mais pour la Nation. Elle doit s'enorgueillir qu'un Français ait commencé à pénétrer ces mystères que les Anciens ne dévoilaient qu'à quelques adeptes bien éprouvés, et à déchiffrer ces emblèmes dont tous les peuples modernes désespéraient de découvrir la signification.»

Enfin, par son allusion au bon ange, qui pourrait se nommer Amon puisque le déchiffreur va même jusqu'à signer parfois *Maïamoun* – «l'aimé d'Amon» –, Champollion nous rappelle les

énormes difficultés que présentait l'entreprise et, au-delà de tout effort, le rôle de la chance dans chaque grande découverte.

Contestations et revirements

Thomas Young, le physicien anglais qui depuis mai 1816 avait publié à Cambridge une première étude de l'inscription démotique de Rosette, suivie en 1819 d'une notice insérée dans le supplément de l'*Encyclopaedia Britannica* présentant une analyse de la triple inscription et des rudiments de vocabulaire hiéroglyphique, prétendit à la priorité de la découverte. En fait, sur les valeurs de treize signes que Young propose, cinq seulement sont exactes mais, surtout, il s'agit de valeurs devinées et non démontrées, et il n'est pas sûr que Champollion en eût

---

Champollion signe «L' aimé d'Amon», en hiéroglyphes et en transcription phonétique (ci-dessous), une lettre écrite d'Alexandrie le 29 octobre 1829, au Dr Pariset.

Selon Edmé-François Jomard, géographe, commissaire du gouvernement et maître d'œuvre de la *Description de l'Egypte*, la réussite du déchiffrement était promise au Dr Thomas Young (ci-dessous) : «C'est assurément à vous qu'est réservée la solution de ce problème complexe», lui écrivit-il.

connaissance. Par ailleurs, la découverte n'est pas seulement affaire de valeurs alphabétiques mais surtout de perception de la mixité du système. Silvestre de Sacy lui-même n'avait-il pas écrit à Young, le 20 juillet 1815 : «Si j'ai un conseil à vous donner, c'est de ne pas trop communiquer vos découvertes à M. Champollion. Il se pourrait faire qu'il prétendît ensuite à la priorité. Il cherche en plusieurs endroits de son ouvrage à faire croire qu'il a découvert beaucoup de mots de l'inscription égyptienne de Rosette. J'ai bien peur que ce ne soit là que du charlatanisme.» Par ailleurs, après la parution de la *Lettre à M. Dacier*, l'helléniste Letronne ne qualifia-t-il pas lui aussi Champollion, dans une lettre à Thomas Young, de «charlatan» et de «monopoliseur de l'Egypte»? On comprend mieux ainsi l'habileté un peu perfide de la dédicace imprimée de ses *Recherches pour servir à l'histoire de l'Egypte pendant la domination des Grecs et des Romains*, que publia Letronne le 1er mars 1823, mais qu'il préparait depuis 1817 : «A messieurs Thomas Young, Champollion le Jeune, Huyot et Gau, qui, depuis la mémorable expédition des Français en Egypte, ont tant contribué à augmenter nos connaissances sur les antiquités de ce pays».

Letronne et de Sacy changeront d'avis et admettront, finalement, la supériorité de Champollion. Quant à Young, il s'inclinera, déclarant le 13 décembre 1823 : «Champollion en fait tant que désormais rien d'important ne peut plus lui échapper. Je considère donc mes études égyptiennes comme terminées.»

Empruntons sur cette affaire les lignes écrites par Arago, secrétaire perpétuel de l'Académie des sciences, dans son *Eloge historique du Dr. Thomas Young* : «Le fragment d'alphabet publié par le docteur Young renferme donc du vrai et du faux, mais le faux y abonde tellement qu'il sera impossible d'appliquer la valeur des lettres dont il se compose à toute autre lecture qu'à celle des deux noms propres dont on les a tirées.» Quant à la priorité, nous avons vu que Champollion commença à étudier la pierre de Rosette en 1809 et nous savons que ce n'est que le 15 mars 1815 que la correspondance débuta entre les deux

«Nephtys [ci-dessus], sœur divine et maîtresse du ciel», tel est le sens, révélé par la découverte de Champollion, de la légende accompagnant cette image féminine, dessin original préparatoire au *Panthéon égyptien*.

Ce calque aquarellé préparatoire au *Panthéon égyptien* (en haut à droite) et exécuté au musée de Turin montre le décor du cintre d'une stèle préparée pour un particulier et invoquant la déesse Hathor.

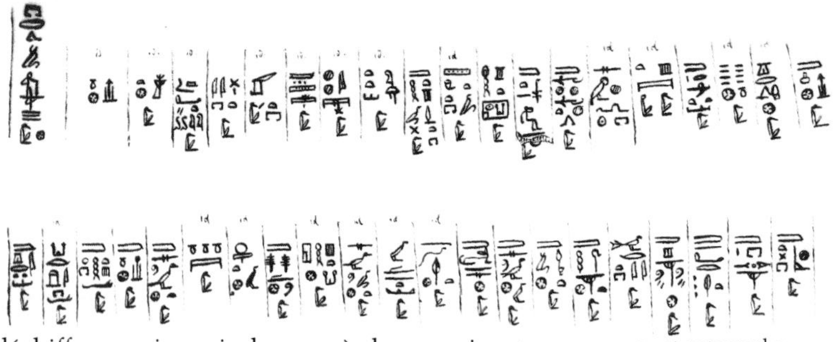

déchiffreurs, six mois donc après les premiers travaux de Young sur l'égyptien. Ce qui n'empêchera pas Champollion de rendre à Young, comme à de Sacy et Akerblad d'ailleurs, son rôle de précurseur : «Je reconnais qu'il a, le premier, publié quelques notions exactes sur les écritures antiques de l'Egypte; qu'il a aussi, le premier, établi quelques distinctions vraies, relativement à la nature générale de ces écritures, en déterminant, par une comparaison matérielle des textes, la valeur de plusieurs groupes de caractères. Je reconnais encore qu'il a publié avant moi ses idées

Cet autographe de Champollion (ci-dessus) est un relevé de la liste des «Juges» du papyrus Cadet, manuscrit rapporté de Thèbes au moment de l'expédition d'Egypte et premier *Livre des morts* à avoir été reproduit en totalité dans la *Description de l'Egypte*.

Deux planches du *Panthéon égyptien*, publié par Champollion et Dubois de 1823 à 1831. Page de gauche, le dieu Khnoum, avec les variantes hiéroglyphiques (de 1 à 6), et deux graphies hiératiques, de son nom; témoin des tâtonnements de Champollion, la septième légende hiéroglyphique correspond au nom d'Amon-Rê, l'autre dieu-bélier dont l'iconographie présente normalement des cornes d'une autre forme. Page de droite, la déesse Hathor, avec une coiffure composite réunissant vautour, sistre-naos et papyrus.

sur la possibilité de l'existence de quelques signes de son, qui auraient été employés pour écrire en hiéroglyphes les noms propres étrangers à l'Egypte; enfin que M. Young a essayé aussi le premier, mais sans un plein succès, de donner une valeur phonétique aux hiéroglyphes composant les deux noms Ptolémée et Bérénice.»

De la «fable des Géants» à la généalogie des dieux

Quelques mois après sa *Lettre à M. Dacier*, Champollion commença à publier avec Léon Jean-Joseph Dubois, son ami du temps des études parisiennes, le *Panthéon égyptien*, un ouvrage dont les premières livraisons parurent au cours de l'été 1823, alors que la quinzième ne sera diffusée qu'en septembre 1831, la mort de Champollion interrompant définitivement cette *Collection de personnages mythologiques de l'ancienne Egypte*. En fournissant la possibilité de lire la légende accompagnant les figures divines, laquelle indiquait souvent un degré de parenté ou un lien avec une autre divinité, voire un toponyme, le système de Champollion permettait enfin de dépasser le seul témoignage des auteurs classiques, comme le déchiffreur l'a exprimé dans son *Précis* : «Enfin je me suis convaincu du peu de succès avec lequel on a jusqu'ici appliqué aux représentations de dieux sculptées sur les temples ou peintes sur les caisses de momies les noms de divinités égyptiennes que nous ont transmis les auteurs grecs et latins.» Il devenait possible désormais d'étudier la religion égyptienne en recourant directement aux sources indigènes.

Ce calque aquarellé (page de gauche) exécuté pour le *Panthéon égyptien* est une copie de la stèle du harpiste Djedkhonsouefânkh, appartenant à la collection Salt et acquise par Champollion à Livourne, en 1826, pour le musée égyptien du Louvre.

Le dieu Thot, patron des scribes, est figuré ici sous la forme d'un babouin tenant une palette. Il préside à la pesée de l'âme du Thébain Imenemsaf, sur cette vignette d'un papyrus du Louvre étudié en 1827 par Champollion.

En 1822, faute de moyens, la France ne put acheter l'exceptionnelle collection d'antiquités réunie en Egypte par son consul général à Alexandrie, le Piémontais Drovetti. Acquise par le roi de Sardaigne et de Piémont, la collection prit le chemin de Turin, où une aile du palais de l'Académie fut aménagée pour l'accueillir. Cette proximité de tant de nouveaux monuments conduisit Champollion à franchir les Alpes, toutes affaires cessantes.

CHAPITRE IV
L'ÉGYPTE EN ITALIE ET AU MUSÉE DE CHARLES X

Le puissant consul Drovetti (ci-contre) et son équipe en Haute-Egypte, dont le fouilleur Rifaud et l'explorateur Cailliaud. A gauche, l'étrange assemblée des sculptures de la collection Drovetti dans le musée égyptien de Turin.

Si l'ensemble de l'œuvre de Champollion doit
beaucoup aux soins constants, et parfois un
peu jaloux, de son frère Jacques-Joseph,
c'est le duc de Blacas, «connaisseur assez
éclairé dans quelques branches
d'archéologie», selon Chateaubriand, qui
favorisa grandement les dix dernières
années de la carrière du déchiffreur. La
première rencontre entre les deux hommes
eut lieu en janvier 1823, à Paris, devant des
antiquités égyptiennes proposées à la vente.
Casimir de Blacas possédait lui-même
un petit musée en son hôtel de la rue de
l'Université, à l'enrichissement duquel
avait généreusement

Les momies que Balzac vit à Turin (à gauche, une vue de l'intérieur du musée), pratiquement à la même époque que Champollion, l'impressionnèrent autant que celles exposées à Paris par le Triestin Passalacqua et évoquées par le romancier dans *La Maison Nucingen*. Ce macabre spectacle inspirera Théophile Gautier en 1858 pour son *Roman de la momie*. Champollion n'aima jamais beaucoup les momies, même si, pour ses amis de la bonne société, il prêta son concours à plusieurs séances de «débandelettage». L'accueil chaleureux qu'il reçut à Turin facilita son exploration des collections, ainsi qu'il l'écrivit au duc de Blacas en juillet 1824 : «J'ai reçu un accueil plein de bienveillance du comte Roget de Cholex, ministre de l'Intérieur, qui a prévenu tous mes désirs par toutes les facilités qu'il a bien voulu m'accorder. Je reçois aussi chaque jour, du comte de Balbe, dont les soins éclairés préparèrent la brillante acquisition de la collection Drovetti, les plus flatteurs témoignages des mêmes sentiments.»

contribué le pape Léon XII, que Jean-François allait bientôt connaître.

Première mission en Italie (1824-1825)

Lors de l'audience que lui accorda Louis XVIII, grâce au duc de Blacas, le 29 mars 1824, à l'occasion de la présentation de son *Précis du système hiéroglyphique des anciens Egyptiens*, il ne put être question, à la déception de Champollion, du voyage en Italie. En revanche, c'est avec une vive satisfaction que, le mois suivant, il reçut un nouveau soutien à son projet, lorsque le duc d'Orléans lui écrivit que son épouse lui avait préparé, en prévision du voyage à Turin, une chaleureuse recommandation pour sa sœur la reine de Sardaigne. Le 4 juin, après un détour de cinq semaines par Grenoble et Vif, où il voit pour la première fois Zoraïde, sa «petite commère grasse à lard», née le 1er mars et l'unique enfant que lui donnera Rosine, il part enfin pour l'Italie. Dès lors, les lettres quasi quotidiennes qu'il envoie à son frère et à ses amis nous renseignent par le menu sur l'avancement rapide de ses travaux et témoignent de la véritable ivresse qui le saisit dès son entrée au Musée égyptien de Turin.

Suite de la conquête papyracée

Travaillant du matin au soir, Champollion s'occupe des nombreux papyrus réunis par Drovetti, dessine minutieusement des fac-similés, transcrit des extraits et collectionne les dates et les noms royaux. Sa réelle émotion peut se percevoir dans la lettre qu'il adresse à son frère, le 6 novembre 1824 : «J'ai vu rouler dans ma main des noms d'années dont l'Histoire avait totalement perdu le souvenir, des noms de dieux qui n'ont plus d'autels depuis quinze siècles, et j'ai recueilli, respirant à peine, craignant de le réduire en poudre, tel petit morceau de papyrus, dernier et unique refuge de la mémoire d'un roi qui, de son vivant, se trouvait peut-être à l'étroit dans l'immense palais de Karnak!» Il fait allusion ici aux quarante-huit fragments qu'il a regroupés et dessinés un à un, et dans lesquels il a immédiatement reconnu les restes d'un «canon royal», désignation que nous donnons toujours à ce papyrus. Se familiarisant à Turin avec la cursive

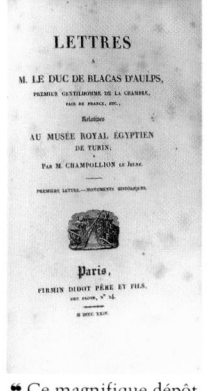

❝ Ce magnifique dépôt historique portera désormais le nom de Musée royal égyptien. ❞

Lettre au duc de Blacas, juillet 1824

❝ J'ai enfin obtenu qu'on assemblât les morceaux de la statue de Sésostris [à droite], il n'y manque rien. [...] Cette statue vous enchanterait, et vous diriez avec moi, sans aucun doute : «Depuis six mois entiers chaque jour je la vois, et je crois toujours la voir pour la première fois!» Bref, j'en suis amoureux. [...] La tête est divine, les pieds et les mains sont admirables, le corps est moelleux; je l'appelle l'Apollon du Belvédère égyptien. ❞

Lettre à J.-J. Dubois, 3 décembre 1824

ramesside, Champollion en arrive même, en novembre 1824 et trois ans seulement après le *Mémoire sur l'écriture hiératique*, à proposer une date pour ce manuscrit : «Il me paraît également certain que ce canon historique est du même temps que tous les manuscrits au milieu desquels j'en ai recueilli les débris, c'est-à-dire qu'il n'est point postérieur à la XIXe dynastie.»

Différentes du reste de la correspondance, les *Lettres à M. le duc de Blacas d'Aulps relatives au Musée royal de Turin* sont destinées à la publication et soumises à la mise en forme par Jacques-Joseph; éditées à Paris en 1824 et 1826, ces *Lettres* sont des bulletins scientifiques, un guide du musée et l'ébauche d'une histoire de l'Egypte au Nouvel Empire. Le premier courrier contient déjà, en juillet 1824, tout ce que l'on peut retenir de ce séjour turinois si fructueux : «Cette collection est le fruit des actives explorations de M. Drovetti pendant vingt années consécutives. La munificence de S. M. le roi de Sardaigne l'a fixée à Turin; mais sa volonté royale en a fait en quelque sorte un dépôt commun à toute l'Europe.»

Monsieur l'Académicien et son «Apollon égyptien»

Dès son arrivée à Turin, le 7 juin 1824, Champollion fut accueilli avec enthousiasme par les membres de la fameuse Académie des sciences et tous les personnages éminents, dont le coptisant et helléniste Amedeo Peyron, le latiniste Charles Boucheron, l'orientaliste Costanzo Gazzera, le mathématicien Carlo Plana, les frères Cesare et Alessandro Saluzzo, spécialistes de l'histoire militaire. Admis aux séances de l'Académie, Champollion en deviendra sociétaire le 13 janvier 1825, lui qui n'avait prévu qu'une halte de quelques jours à Turin! Il devait en fait y demeurer jusqu'au 1er mars 1825. Entouré de tant de statues splendides, celui qui avait été initié à l'art égyptien par Léon Jean-Joseph Dubois délaissa à l'occasion la philologie pour étudier ces chefs-d'œuvre de la sculpture et, comme un critique d'art, poser en principe que cette sculpture, auparavant considérée comme piètre précédent de l'art grec, reflétait au contraire un mode d'expression autonome. C'est d'une statue de Ramsès II, son «Sésostris», qu'il parla en termes si enflammés dans la lettre du 3 décembre 1824 adressée à Dubois.

Un Figeacois reçu par le souverain pontife

Il ne quittera finalement Turin que le 28 février 1825, non sans que ses amis aient tenté de le retenir en lui proposant un voyage en Egypte, son vœu de toujours, et à son retour un poste d'enseignant! La suite du périple le conduira auprès de Carlo Cattaneo, à Milan, où ce dernier est conservateur de la pinacothèque de la galerie Brera, puis auprès de l'orientaliste Mezzofanti à Bologne, où il séjourne les 6 et 7 mars, puis d'Angelo Mai à Rome pour la première fois, avant de retrouver le duc de Blacas à Naples et de visiter la Campanie. A Rome à nouveau, du 23 avril au 17 juin, il y étudie les obélisques et les papyrus de la bibliothèque vaticane. Il est reçu par Léon XII le 15 juin. Une semaine après, et jusqu'au 4 juillet, Champollion est à Florence, où le grand-duc de Toscane, Léopold II, l'invite à étudier la collection d'antiquités égyptiennes formée en Egypte

« S a Sainteté a daigné me recevoir, quoique malade. Le tout s'est passé de la manière la plus aimable. Le Pape, qui parle très bien français, a bien voulu me dire trois fois que j'avais rendu un beau, grand et bon service à la religion par mes découvertes.» (Lettre à Jacques-Joseph, le 22 juin 1825.) Le 10 février 1829, apprenant la mort de Léon XII, Champollion renoncera à un nouveau voyage en Italie et abandonnera son étude sur les obélisques romains dont le pontife l'avait chargé.

par Giuseppe Nizzoli. C'est également à Florence qu'il rencontre l'un de ses futurs collaborateurs en Egypte, le voyageur et dessinateur Alessandro Ricci.

Livourne et la collection Salt

Au cours d'un détour par Livourne en juillet, Champollion réussit à faire déballer une très importante collection d'antiquités mise en vente par le banquier Pietro Santoni et qui se révéla avoir été réunie en Egypte par le consul anglais Henry Salt. Dès son arrivée à Gênes le 11 juillet, Jean-François écrit à son frère pour l'informer de la richesse de l'ensemble et, surtout, afin que ce dernier tente tout son possible pour que ce trésor n'échappe pas à la France. Même sujet dans une nouvelle lettre écrite depuis Turin, le 21 juillet : «Je te l'ai dit, et je te le répète, qu'on la donne pour rien et que l'honneur français est intéressé à ne pas laisser échapper ce fruit des longs travaux d'un Goddam [...]. J'écris aujourd'hui même à M. le Duc de Blacas, en lui envoyant le catalogue et les propositions écrites des banquiers Santoni.» Pour les deux frères, l'acquisition de la collection Salt, objet de tous leurs efforts désormais, est liée à la nécessité de créer un poste de conservateur au Louvre, que personne d'autre ne pouvait mieux honorer que Jean-François. En août, toujours à Turin, il reçoit la Légion d'honneur des mains du premier

❝ Sorti de mon hôtel, rue Condotti, je suis allé droit sur Saint-Pierre. [ci-dessus] Décrire l'impression que j'ai éprouvée en arrivant sur la place de cette basilique est chose impossible. Nous sommes des misérables en France, nos monuments font pitié à côté des magnificences romaines !...❞

Lettre à Jacques-Joseph, 12 mars 1825

secrétaire d'ambassade, une distinction obtenue
sur la recommandation du Saint-Père et du duc de
Montmorency-Laval. Il quitte Turin le 4 novembre
pour Grenoble, où il arrive le 9.

Second voyage : un envoyé royal de retour à Livourne (1826)

En mission pour le gouvernement français,
Champollion est à nouveau à Turin du 4 au 11 mars
1826 et séjourne à Livourne du 15 mars à la mi-juillet
pour superviser l'expédition de la collection Salt,
que Charles X s'est finalement décidé à acheter.
En mai, il apprendra sa nomination comme
conservateur du Musée égyptien de Charles X
– une tâche qui devait l'absorber pendant
toute l'année 1827 et retarder de
beaucoup son départ pour l'Egypte.
L'été 1826 sera partagé entre Rome et
la Campanie. Champollion
séjourne à Livourne pendant
la seconde quinzaine de
septembre. Puis il rentre
à Grenoble, via
Florence, Bologne,

A Florence
(ci-dessous),
Champollion logea
chez le voyageur
Alessandro Ricci, qui
l'accompagnera ensuite
dans la vallée du Nil.
Il y étudia les
antiquités égyptiennes
de la collection
Nizzoli, acquise par
Léopold II, le grand-duc
de Toscane.

C'est au musée de l'université de Bologne, le 6 mars 1825, que Champollion examina ce grand bas-relief de Nectanébo Ier (ci-contre), qu'il connaissait déjà d'après une gravure.

Venise. C'est au cours de ce deuxième séjour italien que Champollion fait la connaissance, à Livourne, de celui qui allait l'aider à installer la collection Salt au Louvre, l'accompagner en Egypte et se montrer l'un de ses plus brillants disciples, Ippolito Rosellini. A cette époque, depuis deux ans déjà, ce dernier est professeur de langues orientales à l'université de Pise.

Angelica Palli : la blessure

Trente lettres que Champollion écrivit à une jeune femme, rencontrée à Livourne le 2 avril 1826, au cours d'une séance académique, sont parvenues jusqu'à nous et sont à l'origine d'une curieuse romance que certains se sont plu à amplifier. L'égyptologue ne devait en fait approcher que très peu la riche Angelica Palli, puisqu'il la vit pour la dernière fois le 21 septembre 1826. Il se dégage de ces lettres une certaine gaucherie : comme si Jean-François s'efforçait de tenir un rôle écrit pour un autre et, surtout, ne voulait pas avouer que la distance que tient à maintenir Angelica-Zelmire est réelle et le blesse. Qu'on en juge : «En dix-neuf mois, j'ai reçu une seule fois de vous une marque de souvenir. Comment puis-je expliquer ce silence?» Une marque de souvenir! Piètre exigence pour celui qui, à peine rentré d'Italie, espérait, en octobre 1826, «une amie dans toute l'étendue de ce mot, une amie qui pensât tout haut avec moi, convaincue que tout ce qui l'intéresse me touche».

Ces trente lettres nous éclairent sur la personnalité de Champollion, sa philosophie de la vie, où l'on discerne parfois un peu de misanthropie et un certain pessimisme. Tout comme l'examen de ses notes scientifiques, ces missives privées confirment sa grande ténacité. Débutant sa correspondance par une charge contre son épouse, il ne pouvait guère séduire Angelica et nous montre un Champollion injuste, et petit à l'occasion.

Monsieur le Conservateur

Le 15 mai 1826, au château des Tuileries, Charles X prit l'arrêt suivant : «Article Ier – La conservation des antiques de notre musée royal du Louvre formera à l'avenir deux divisions [...] la deuxième division comprendra les monuments égyptiens de toutes les époques ou provenant de l'Egypte. Article 2 – Le sieur Champollion le Jeune est nommé conservateur des monuments qui composent la seconde division [...]. Article 3 – Il y aura chaque année au musée des antiques du Louvre et durant la belle saison un cours public et gratuit d'archéologie où l'on exposera les divers systèmes d'écriture dont se servaient les Egyptiens. Article 4 – Le sieur Champollion le Jeune,

Angelica Palli, la «Sapho du Piémont» à qui Champollion, le 19 septembre 1826, deux jours seulement avant de la voir pour la dernière fois, avouera assez timidement : «Mes sentiments ont dû vous surprendre : ils ne sont d'accord ni avec ma situation ni avec la vôtre, que tout ordonne de respecter. Mais pour naître, les mouvements du cœur attendent-ils l'impulsion du raisonnement?»

La profusion du décor du musée Charles-X contraste avec la sobriété des vitrines voulues par Champollion (à droite) et la rigueur de la présentation de son musée égyptien.

conservateur des monuments égyptiens, est chargé de ce cours et, autant que faire se pourra, il appliquera les théories aux monuments du musée, qui seront sous les yeux du public [...].» C'est donc la reconnaissance officielle des talents de l'égyptologue, en France cette fois, la fondation d'un département égyptien au Louvre et la volonté d'organiser un enseignement d'archéologie égyptienne. Si ce dernier

Pendant la révolution de juillet 1830, le peuple envahira les salles et plusieurs actes de vandalisme y seront commis. Ci-dessous, l'inauguration du salon en 1824 au Louvre par Charles X.

point du décret royal ne devait pas être appliqué du vivant de Champollion, la création du poste de conservateur lui donnait enfin un emploi : sa situation était, depuis son départ de Grenoble en 1821, assez précaire, malgré ses succès.

C'est durant une période de réelles difficultés matérielles que furent accomplis ces travaux si importants pour les études égyptologiques.

Accompagné de Rosine et de la petite Zoraïde, le nouveau conservateur quitte Grenoble le 30 octobre 1826 pour Paris, où il s'installe dans un nouvel appartement, au 19 de la rue Mazarine cette fois. Au Louvre, il réceptionne la collection Salt et, avec l'aide du fidèle Dubois, puis de Rosellini et du dessinateur Nestor L'Hôte, il procède au classement méthodique et à la présentation de son musée, qui sera prêt le 15 décembre de l'année suivante. A cette occasion, Champollion publie un petit guide, le premier du genre, *Notice descriptive des monuments égyptiens du musée Charles X.*

Ces cinq chefs-d'œuvre du musée Charles-X montrent que, vingt ans après ses études parisiennes, Champollion vivait enfin au contact permanent de monuments évoquant ses «chers Aménophis III, Séthosis, Ramsès et Thoutmosis !». A part le riche cercueil polychrome de Soutimès (à gauche), entré au Louvre avant la nomination de Champollion mais très largement utilisé pour son *Panthéon égyptien,* ces pièces furent acquises par le déchiffreur, soit avec la collection Salt, pour l'imposante cuve du sarcophage en granite rose de Ramsès III ou la série des éclatantes statuettes funéraires en faïence de Séthi Ier (son «Séthosis»), soit avec la seconde collection Drovetti, pour l'étonnante tête en diorite livrant les traits idéalisés d'Aménophis III (page de gauche) ou l'exceptionnelle coupe en or (ci-contre) que Thoutmosis III remit en récompense à son général, Djéhouty.

Le moment précis où l'idée du voyage en Egypte, le «Vallon sacré», germa dans l'esprit du jeune Champollion importe peu car ce dernier entretint constamment un rapport très étroit avec la contrée bénie qui, à peine touchée, lui fit écrire : «Il semble que je suis né dans ce pays!» Et puis son débarquement à Alexandrie n'était-il pas comme inscrit depuis l'aveu naïf, en 1806, qu'aucun peuple ne «balançait les Egyptiens dans son cœur » ?

CHAPITRE V
UNE VIE ENTIÈRE POUR QUINZE MOIS EN ÉGYPTE

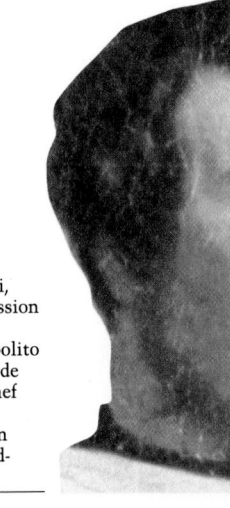

Champollion écrivit à son frère, peu après son arrivée à Alexandrie : «Il est vrai que je suis un homme tout nouveau.» Non signé, ce pastel le représentant en bédouin a probablement été exécuté par Giuseppe Angelelli, le peintre de la mission franco-toscane. A droite, le Pisan Ippolito Rosellini, disciple de Champollion et chef de la Commission toscane envoyée en Egypte par le grand-duc Léopold II.

Le 18 août 1828, à son arrivée en Egypte, Champollion se distingue radicalement des autres voyageurs que nos consuls des Echelles du Levant ont coutume de voir débarquer. Il n'est pas l'un de ces jeunes romantiques philhellènes ou de ces oisifs avides de dépaysement, mais un savant bien décidé à appliquer son théorème. «J'ai le droit de vous annoncer qu'il n'y a rien à modifier dans notre *Lettre sur l'alphabet des hiéroglyphes*», écrira-t-il fièrement à Dacier depuis la seconde cataracte, le 1er janvier 1829, ne laissant ainsi aucun doute sur son but réel.

Des difficultés pour parvenir à Memphis

C'est au cours de l'été 1826, après une entrevue à Naples avec le duc de Blacas, que Champollion envisagea la concrétisation de son projet d'expédition égyptienne. Très vite il en informe ses amis, dont plusieurs offrent spontanément leur concours. Antoine Bibent et Alessandro Ricci, qui vont effectivement

Les matériaux communiqués à Champollion par d'anciens membres de l'expédition d'Egypte, mais aussi par divers voyageurs, se révélèrent très utiles lors de la préparation de la mission franco-toscane. On peut citer par exemple les portefeuilles de l'explorateur nantais Frédéric Cailliaud, et les relevés exécutés en Egypte et en Nubie, en 1818 et 1819, par l'architecte Jean-Nicolas Huyot. C'est grâce à eux que Champollion fut informé sur les temples nubiens, notamment par cette aquarelle du temple de Maharraqa (ci-dessus) exécutée par Huyot en 1819. Ci-contre, un croquis de Nestor L'Hôte, dessinateur de la Commission française.

l'accompagner sur les bords du Nil, sont du nombre, de même que le comte Carlo Vidua, lequel, comme Ricci, avait déjà visité l'Egypte et la Nubie.

Champollion, de nature exaltée, oublie volontiers les difficultés matérielles de toute sorte que suscite une telle entreprise. Ne le voyons-nous pas, dès le 14 octobre, proposer à son ami turinois l'abbé Gazzera de l'accompagner en Egypte, de même que plusieurs de leurs amis, comme si l'affaire était faite ? De retour à Paris, au milieu des tracas du musée à organiser, il imagine déjà les charmes de la vie de bédouin et, le 20 novembre 1826, écrit à Rosellini : «Qu'il me tarde d'être campé dans les plaines désertes de la Thébaïde ! Ce n'est que là qu'il sera possible de trouver à la fois plaisir et repos.» Deux années le séparent encore de la plaine tant espérée.

Avant de devenir le directeur du musée Napoléon, Vivant Denon fut le dessinateur de l'expédition d'Egypte et croqua les principaux monuments. Bien des temples qu'il a vus debout en 1799 auront été endommagés, ou détruits, lorsque Champollion se rendra sur place trente ans plus tard ; tel fut le sort de ces ruines (ci-dessus), dessinées à Eléphantine par Denon.

La mission franco-toscane à Thèbes en 1829

Au sein de la Commission française, les assistants de Champollion sont les suivants : le dessinateur Nestor L'Hôte ; le peintre Duchesne aîné ; deux élèves du peintre Gros, Lehoux et Bertin. Quant à l'équipe toscane, dirigée par Ippolito Rosellini, elle comprend : l'architecte Gaetano Rosellini, son oncle ; le dessinateur Salvatore Cherubini, fils du compositeur et beau-frère d'Ippolito Rosellini ; le dessinateur et médecin Alessandro Ricci, le seul du groupe à avoir déjà parcouru l'Egypte ; le naturaliste florentin Giuseppe Raddi et le peintre Giuseppe Angelelli, auteur de ce tableau commémoratif, peint entre 1834 et 1836. De gauche à droite : Bertin, Cherubini, Ricci, L'Hôte et le drogman (groupe debout à gauche), derrière eux, Angelelli ; assis au premier plan, Duchesne, derrière lui, Raddi (assis) et Lehoux (debout) ; debout, drapé de blanc, Ippolito Rosellini, derrière lui et le regardant, son oncle Gaetano, et enfin, assis, un sabre à la ceinture, Champollion.

Discussions et démarches

Le 22 avril 1827, il adresse, pour avis, au vicomte de La Rochefoucauld, aide de camp de Charles X, chargé du département des beaux-arts, son «projet de voyage littéraire en Egypte», qu'il se propose de soumettre au roi. Le rappel des priorités, «l'organisation du département égyptien», tempère quelque peu l'ardeur du Figeacois qui, le 29 avril, écrit à l'aide de camp, la mort dans l'âme : «J'attendrai donc que le musée égyptien soit terminé et ouvert au public.» Le 2 juillet, Champollion adresse directement à Charles X son projet et, le même été, le grand-duc Léopold II accepte le principe d'une commission toscane sous la responsabilité d'Ippolito Rosellini, envoyée en renfort de l'équipe commandée par le Figeacois, et à part égale. Dans sa lettre de remerciements, Champollion fixe le départ au mois de juillet 1828 et dit au grand-duc : «C'est peut-être l'expédition scientifique savante la plus remarquable parmi toutes celles que réclame l'avancement des études solides et que le siècle est à même de tenter.» Enfin, c'est le 26 avril 1828, lors d'un entretien au Louvre que Charles X accorda à Champollion, que la grande expédition est finalement décidée. La partie est gagnée, mais notre «conservateur trop historien» de Sa Majesté devra encore attendre jusqu'au 8 juillet le congé de quatorze mois qu'il a demandé.

Programme des travaux

Ce projet en vingt points, trop ambitieux, présenté après un exposé des motifs du voyage et des résultats escomptés, constitue un résumé des connaissances en archéologie égyptienne, à la veille de l'ouverture du

Les voyageurs Huyot et Gau, qui pénétrèrent à l'intérieur du grand temple d'Abou Simbel dix ans avant Champollion, et très peu de temps après son ouverture par Belzoni en 1817, furent frappés par la conservation des couleurs. Ils exécutèrent tous deux sur place plusieurs dessins aquarellés, notamment (ci-dessus et page de droite) des quatre statues divines du sanctuaire.

musée Charles-X. Que de chemin parcouru depuis
la fameuse séance de septembre 1822 à l'Académie!
Quels progrès accomplis et quelle différence avec
les questions mises à l'étude à l'Institut d'Egypte,
seulement une trentaine d'années auparavant! En
réalité ce programme, qui annonce le sommaire prévu
pour les futurs *Monuments de l'Egypte et de
la Nubie*, servira finalement aux seuls *Monumenti*
publiés à Pise par Rosellini. Le
même plan de travail inspirera
Lepsius en 1842, lors de la
préparation de la mission
prussienne et sera fidèlement suivi
par Prisse d'Avennes, dont les
Monuments égyptiens, édités en
1847 aux frais du gouvernement, se
voudront la suite de la publication
de Champollion.

Derniers préparatifs et départ

«Vous n'aurez besoin de faire aucun
approvisionnement. Je pense à tout
moi-même, et cela me regarde.
Contentez-vous de prendre le linge
et les habits nécessaires, et voilà
tout», avait écrit Champollion
à l'abbé Gazzera, qui finalement
ne put faire partie de l'équipe. Les
rames de feuilles, cahiers, carnets,
crayons et pinceaux furent fournis
par Binant, papetier parisien de la
rue de Cléry; le serrurier Desouche
équipa les quatre coffres commandés
à Nénié, un menuisier de la rue

Visitée déjà par
l'Ecossais James
Bruce au XVIIIe siècle,
et explorée par divers
membres de l'Institut
d'Egypte qui y
trouvèrent plusieurs
bronzes, la tombe
royale aménagée à
Thèbes pour Ramsès III
surprit tous ses
visiteurs par la
richesse de son décor
polychrome. Son
élégante procession
de génies présentant
les richesses naturelles
de chaque région (ci-
dessous) retint
particulièrement
l'attention de
Champollion, qui la
fit relever par Lehoux
et Ricci.

Basse-du-Rempart, et le coffretier Leguay fils procura la malle personnelle du patron de l'expédition.

A six heures du soir, le mercredi 16 juillet 1828, Champollion, Rosellini et Cherubini prennent place dans la malle-poste; on dessine quelques antiquités égyptiennes au musée dirigé par Artaud, au cours de la halte lyonnaise les 18 et 19, puis d'autres chez

Champollion découvrit cette première «page» de l'*Enseignement d'Amenemhat* (ci-dessous), un manuscrit en écriture hiératique, à Aix-en-Provence, chez Sallier, en juillet 1828 et il l'étudia en

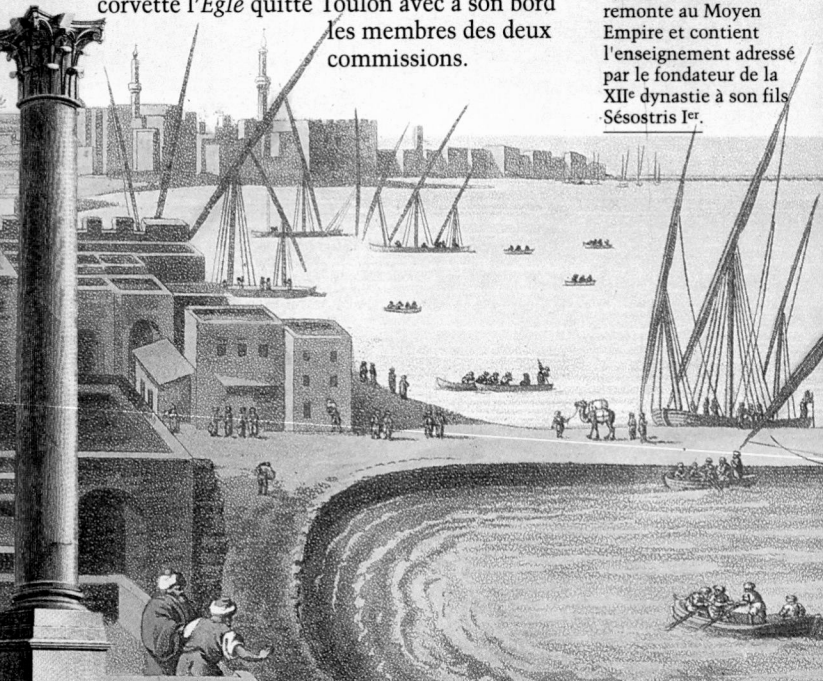

Sallier à Aix, les 22 et 23, où sont montrés à Champollion les fameux papyrus qui aboutiront au British Museum en 1839. Enfin, le 31 à midi, sous le commandement de Cosmao-Dumanoir, «quarante ans, fort aimable et d'excellentes manières», la corvette l'*Eglé* quitte Toulon avec à son bord les membres des deux commissions.

février 1830, à son retour d'Egypte. C'est Champollion qui divisa et colla sur feuilles ce manuscrit. Si celui-ci date de la XIXe dynastie, le texte, lui, remonte au Moyen Empire et contient l'enseignement adressé par le fondateur de la XIIe dynastie à son fils Sésostris Ier.

Alexandrie et le Pacha

Après dix-huit jours de traversée occupés en cours d'arabe pour tous et initiation des artistes aux hiéroglyphes, l'Egypte est au bout de la lorgnette : le rêve d'une vie à portée de main. Champollion note immédiatement dans son journal : «On aperçoit d'assez bonne heure sur la côte blanchâtre d'Afrique, et sur un point privé aujourd'hui de toute végétation, comme il a pu l'être dans tous les temps, l'emplacement de l'ancienne Taposiris ou Taphosiris, maintenant Abousir»! Il sait tout, et ne peut être comparé à aucun autre voyageur. Tout son récit et ses lettres vont donc entremêler les preuves de sa patiente reconnaissance et les éléments nouveaux bien vite intégrés par lui dans un ensemble de connaissances si bien ordonnées depuis longtemps. Son mémoire sur le Nil et ses deux articles «Memphis» et «Thèbes» ne remontent-ils pas à 1811, dix-sept ans donc avant qu'il ne foule cette «terre bénie»? L'étonnement viendra principalement du dépaysement commun à tout Européen se frottant alors à l'Orient : «L'aspect des habitants, qui, malgré la nuit tombée, encombraient la rue, avait quelque chose de

" Déjà, nous distinguions à la lunette la colonne de Pompée [page de gauche] et toute l'étendue du Port-Vieux. L'aspect d'Alexandrie [ci-dessous] devenait imposant à mesure que nous approchions; une immense forêt de mâts, à travers laquelle on apercevait les maisons blanches de la ville, se déployait devant nous. Enfin, à l'entrée de la passe, notre commandant fit tirer un coup de canon, et nous vîmes arriver un pilote arabe, qui dirigea la manœuvre à travers les brisants et nous fit jeter l'ancre au milieu du Port-Vieux. "

Lettre à Jacques-Joseph, 23 août 1828

«Son Altesse, après avoir demandé de nos nouvelles, a dit que nous étions les bienvenus, et m'a questionné sur mon projet de voyage. [...] Le trait saillant de sa figure est une paire d'yeux d'une extrême vivacité, et qui font un singulier contraste avec une barbe blanche qui tombe et qui s'étend sur sa poitrine», écrivit Champollion à son frère, le 24 août 1828, le jour où Méhémet Ali (ci-contre) reçut la Commission française, présentée par le consul général Drovetti.

tellement étrange pour le nouveau débarqué d'Europe qu'il est impossible de rendre l'impression de surprise et presque de stupeur qui nous dominait», note-t-il alors. En revanche, quelques jours plus tard, présenté par Drovetti à Méhémet Ali, il ne sera guère impressionné par ce dernier : «Sa taille est médiocre et l'ensemble de sa physionomie a une teinte de gaîté, qui surprend dans un homme occupé de si grandes choses et accablé de tant de soucis.»

Découverte du Nil

Si les lettres écrites régulièrement à son frère sont souvent de véritables bulletins archéologiques, elles

contiennent aussi parfois les témoignages de la
véritable ivresse qui saisit Champollion en Egypte,
comme ce courrier du 27 septembre 1828, relatif
à sa découverte du Nil, le fleuve saint : «Nous
débouchâmes dans le fleuve, le 15, de très bonne
heure, et je conçus dès lors les transports de joie des
Arabes d'Occident, lorsque quittant les sables
libyques d'Alexandrie ils entrent dans la branche
canopique, et sont frappés de la vue des tapis de
verdure du delta, couverts d'arbres de toute espèce,
au-dessus desquels s'élèvent les centaines de
minarets des nombreux villages qui sont dispersés sur
cette terre de bénédiction. Ce spectacle est
véritablement enchanteur, et la renommée de fertilité
de la campagne d'Egypte n'est point exagérée. Le
fleuve est immense, et les rives en sont délicieuses.»
Sa découverte du Caire quelques jours après sera tout
aussi merveilleuse car tout paraît séduire
Champollion depuis qu'il a enfin touché
la terre égyptienne et confronté ses notes de lecture
à la réalité du pays.

❝ On a dit beaucoup
de mal du Caire; [ci-
dessous, vu par le
consul et collectionneur
Henry Salt] pour moi,
je m'y trouve fort bien,
et ces rues de huit à
dix pieds de largeur, si
décriées, me paraissent
parfaitement bien
calculées pour éviter
les trop grandes
chaleurs. Sans être
pavées, elles sont
d'une propreté fort
remarquable et je
souhaiterais que Paris
ne fût pas plus sale
dans ses jours de
grande toilette. ❞

Lettre à Jacques-Joseph,
27 septembre 1828

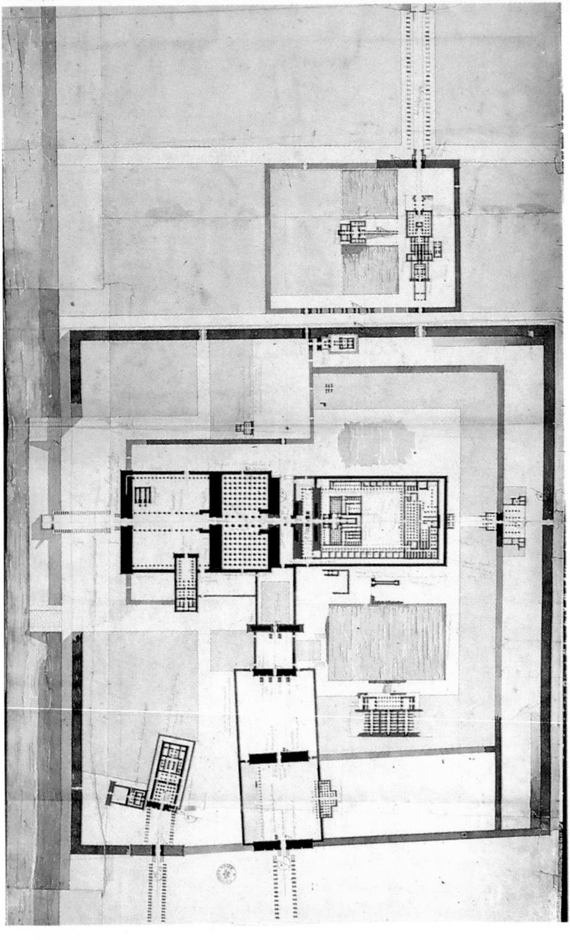

"Karnak! Là m'apparut toute la magnificence pharaonique, tout ce que les hommes ont imaginé et exécuté de plus grand. [...] Nous ne sommes en Europe que des lilliputiens!"

Lettre à Jacques-Joseph,
24 novembre 1828

Disposant déjà de ce plan levé à Karnak par Huyot (ci-contre), Champollion se contenta de préciser les dates de construction des divers ensembles et n'en fit pas dresser de nouveau plan.

Thèbes ou le bonheur

S'il est impossible de suivre continuellement Champollion au cours des dix-sept mois de l'expédition, on ne peut passer sous silence les lignes émerveillées qu'il écrivit, le 24 novembre 1828, de Thèbes à son frère : «C'est dans la matinée du 20 novembre que le vent, lassé de nous contrarier depuis deux jours et de nous fermer l'entrée du sanctuaire, me permit d'aborder enfin à Thèbes! Ce nom était déjà bien grand dans ma pensée; il est devenu colossal depuis que j'ai parcouru les ruines de la vieille capitale, l'aînée de toutes les villes du monde. Pendant quatre jours entiers j'ai couru de merveille en merveille.» Au retour de Nubie, en mars 1829, Champollion abordera à nouveau Louxor, pour une exploration méthodique cette fois, qu'il ne quittera définitivement que le 4 septembre, des mois qui, sans conteste, furent l'une des périodes les plus heureuses de la vie de «l'Egyptien».

Le temple de Gournah et la plaine thébaine (ci-dessus) vus par le peintre orientaliste Prosper Marilhat. Cette aquarelle a d'abord été publiée par Richard Lepsius dans *Denkmäler aus Aegypten und Aethiopen* (1849-1859). Le croquis de Nestor L'Hôte (ci-dessous) montre les ruines de Karnak.

Inventaires et bilan : «Du travail pour une vie entière!»

Mieux que les inventaires ou les listes des centaines de dessins, ce sont les lettres écrites au retour, depuis le lazaret de Toulon, dans les derniers jours de décembre 1829, qui permettent

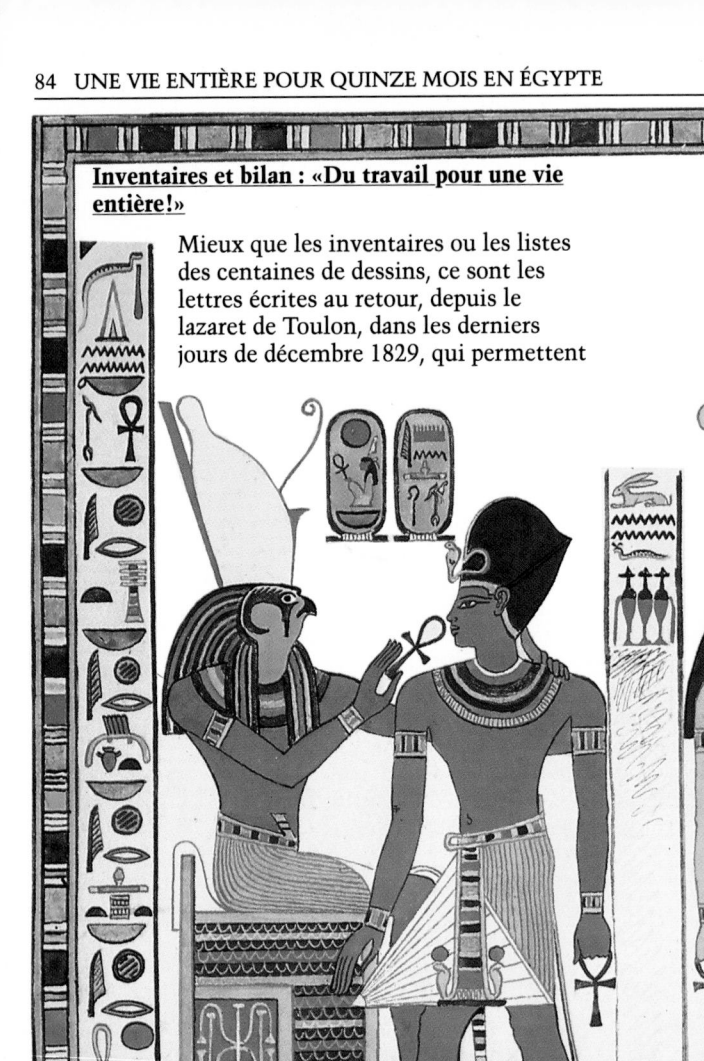

de connaître rapidement le bilan scientifique de l'expédition et ce qu'il inspirait alors à un Champollion exténué mais comblé. «Ma campagne est donc finie, mon cher ami, et tout a répondu à tes désirs comme aux miens», écrit-il à son frère. «L'Egypte a été parcourue pas à pas, et j'ai séjourné partout où le temps avait laissé subsister quelques restes de la splendeur antique. Chaque monument est devenu l'objet d'une étude spéciale; j'ai fait dessiner tous les bas-reliefs et copier toutes les inscriptions qui pouvaient fournir des lumières sur l'état primitif d'une nation dont le vieux nom se mêle aux plus anciennes traditions écrites», rapporte-t-il au baron de La Bouillerie, intendant général de la maison du roi. «J'ai dépouillé, pour ainsi dire, tous les monuments de l'Egypte et de la Nubie, depuis les pyramides jusqu'à la seconde cataracte, de toutes les notions historiques sculptées ou écrites sur leurs murailles, et le livret que j'ai rédigé de tous les bas-reliefs qui décorent chaque monument, et dont les principaux ont été copiés avec fidélité, me donne la certitude que je n'ai rien laissé en arrière de curieux ou d'important. J'ai ainsi amassé du travail pour une vie entière», développe-t-il au fidèle Dubois qui, avec Champollion-Figeac et Cherubini, devait collaborer à l'édition des *Monuments de l'Egypte et de la Nubie*.

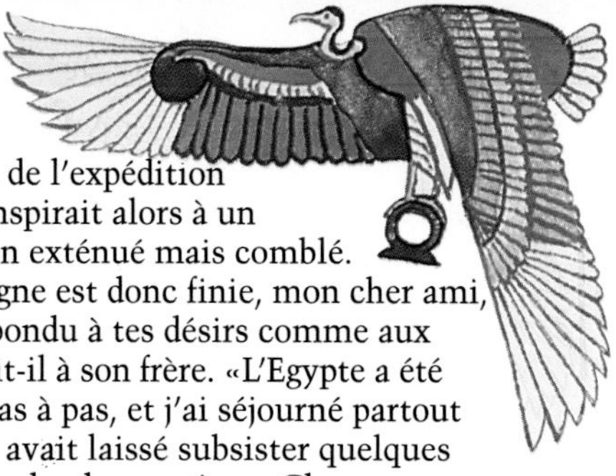

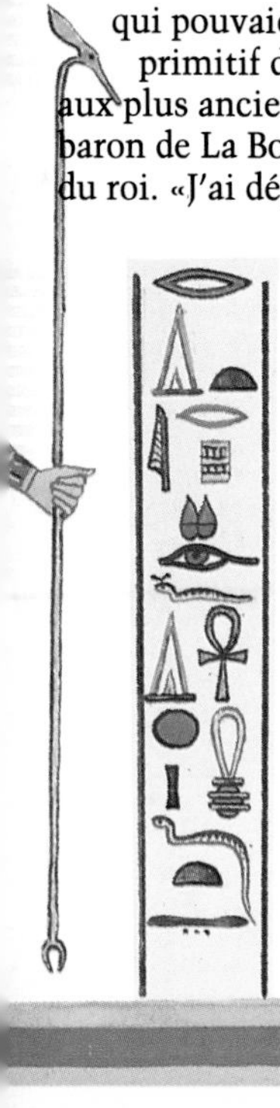

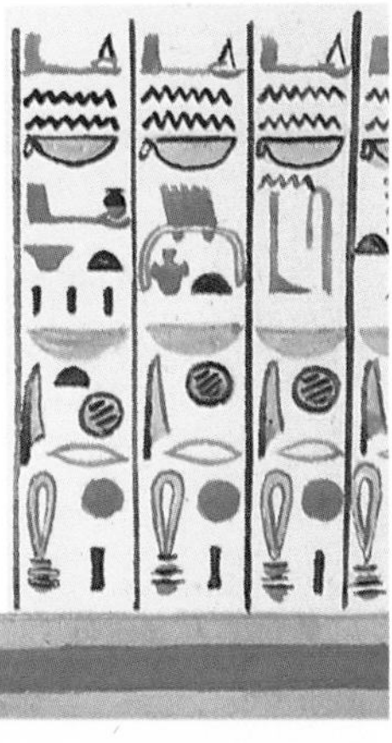

Si la mission franco-toscane fit escale à El-Kab et, comme à Béni-Hassan ou à Thèbes, copia les principaux bas-reliefs de ces tombeaux, Champollion, quant à lui, ne visita pas, juste à côté, au Ouadi-Hellal, le petit temple reposoir d'Aménophis III. C'est donc pour combler cette lacune que les éditeurs des *Monuments de l'Egypte et de la Nubie*, Champollion-Figeac et Dubois, renvoyèrent au Ouadi-Hellal Nestor L'Hôte qui, en 1841, en rapporta ce dessin aquarellé (page de gauche) sur lequel sont représentés Aménophis III, Nekhbet et Horus.

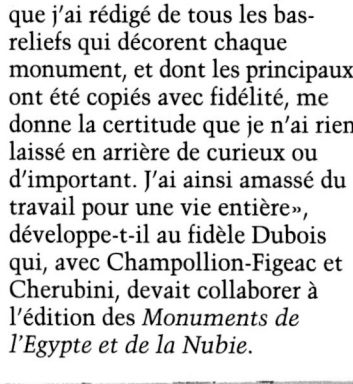

MONUMENTS

DE

L'EGYPTE

ET DE

LA NUBIE

PAR

CHAMPOLLION LE JEUNE

Des portefeuilles à l'édition

Jacques-Joseph (ci-dessus) sera l'éditeur des principaux manuscrits de son frère. Il publiera la *Grammaire égyptienne* (1836-1841), le *Dictionnaire égyptien en écriture hiéroglyphique* (1841-1844) et les *Monuments de l'Egypte et de la Nubie* (ci-contre, les dessins et la page de titre de l'édition originale), de 1835 à 1845. Eloigné de la Bibliothèque nationale en 1848 et n'ayant plus la libre disposition des précieux manuscrits, il renoncera à poursuivre cette édition, qui restera incomplète. Persuadé que les rois et les reines avaient été véritablement portraiturés, Champollion s'appliqua à faire relever aussi exactement que possible la plupart de ces effigies. «L'iconographie des pharaons sera superbe» écrit-il déjà à son frère le 24 novembre 1828.

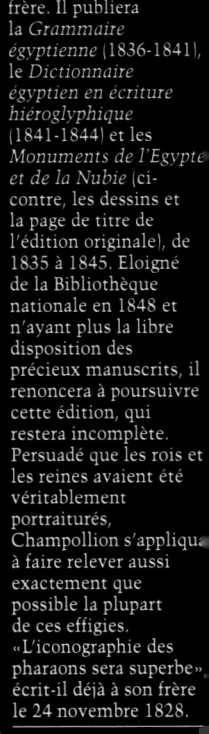

La moisson de monsieur le Conservateur

Tout ce que Champollion put économiser sur les fonds mis à sa disposition par la Maison du roi et les divers ministères fut employé par lui à des fouilles et à des acquisitions de monuments égyptiens pour le musée de Charles X. Si les fouilles furent moins fructueuses que ce qui pouvait être escompté – les meilleures pièces aboutirent à Florence – les achats furent très heureux : notamment l'important sarcophage en basalte de Téôs ou l'exceptionnel bronze damasquiné de Karomama, «le plus beau bronze qui ait encore été découvert en Egypte», écrira-t-il à Dubois. Une centaine d'objets vint ainsi grossir la collection du Louvre et parfaire les connaissances des Parisiens en matière d'art égyptien.

«Le temps réduit au même niveau et entraîne sans distinction ce qu'il y a de plus grand et de plus petit, de plus grave et de plus futile, de plus triste et de plus gai», philosophait Champollion à Turin en 1824, ne sachant pas encore alors combien ce même temps allait lui être si parcimonieusement mesuré. En effet, exténué par l'immense labeur accompli en Egypte, il fut contraint à une véritable course contre la mort pour parachever sa quête hiéroglyphique.

1830-1832 : deux années pour une œuvre

Rentré à Paris le 5 mars 1830, après presque vingt mois d'absence, Champollion donne immédiatement la priorité à la mise au net de la *Grammaire égyptienne*, sa «carte de visite pour la postérité», intégrant, comme sur les fiches de son *Dictionnaire* ou les planches de son *Panthéon*, de nombreux relevés effectués par lui ou ses aides en Egypte. On le nomme, enfin, à l'Académie des inscriptions et belles-lettres le 7 mai 1830 et, grâce à Cuvier, Cousin et Lenormant, il renoue avec l'enseignement grâce à la chaire d'archéologie, créée pour lui au Collège de France, le 12 mars 1831. Il ne l'occupera toutefois que pendant un trimestre.

Bien qu'il ait passé l'été et l'automne 1831 dans le calme du Quercy, son affaiblissement est extrême et, quelques semaines après son retour rue Favart, son

« J'apporte au Louvre le plus beau bronze qui ait encore été découvert en Egypte [page de gauche, Karomama, la divine adoratrice d'Amon]; je suis sûr que vous embrasserez la princesse sur les deux joues malgré l'oxyde qui les masque. [...] J'ai osé, dans l'intérêt de l'art, porter une scie profane dans le plus frais de tous les tombeaux royaux de Thèbes. J'ai détaché de la muraille ce fameux bas-relief du tombeau d'Ousiréi représentant le roi accueilli par la déesse Hathor [Séthi Ier et Hathor, ci-contre]. C'est cette Hathor dont vous admiriez la belle tête sur le plâtre [ci-dessous, le relevé de Duchesne] qu'en avait exposé Belzoni. »

Lettre à Dubois,
27 décembre 1829,
du lazaret de Toulon

ultime logis parisien, il inquiète véritablement ses proches. Ainsi le comte Funchal, venu spécialement à Paris pour rencontrer l'égyptologue, fut-il effrayé de son état car il croyait avoir face à lui «quelqu'un qui s'approchait d'un pas trop rapide vers la mort».

Une première attaque survint le 13 décembre, une seconde le 13 janvier et il s'éteignit à quarante et un ans, deux mois et neuf jours exactement, le 4 mars 1832. Oui, Balzac avait vu juste : cette exténuante conquête papyracée consuma véritablement ce scribe que fut «Saghir», c'est-à-dire le «cadet» du premier libraire de Figeac. Les livres annotés par Champollion, comme ses papiers importants, sont acquis par l'Etat en 1833. Avec dévouement et aussi fidélité, Jacques-Joseph se chargera d'éditer la *Grammaire*, le *Dictionnaire*, les *Monuments* et le début des *Notices descriptives*, une publication lente

Ces ruines du temple nubien de Dakké, que l'expédition visita le 19 décembre 1828, inspirèrent à Champollion cette remarque, dans une lettre à son frère, le 10 février suivant : «Dakké est le point le plus méridional où j'ai rencontré des travaux exécutés sous les Ptolémées et les empereurs. Je suis convaincu que la domination grecque ou romaine ne s'est jamais étendue, au plus, au-delà d'Ibrim.» Champollion put donc retrouver, sur les monuments eux-mêmes, les cartouches dont, en 1822, il avait utilisé les copies pour sa *Lettre à M. Dacier*.

et difficile car autographiée (1845-1889), et interrompue par le décès en 1867 de Champollion-Figeac. Elle fut achevée par Emmanuel de Rougé et Gaston Maspero, deux titulaires, ô combien brillants! de la chaire créée au Collège de France en 1831.

A la Bibliothèque nationale, l'examen des quatre-vingt-huit volumes de manuscrits du déchiffreur, fondateur de la muséologie égyptienne et historien si fécond de l'Antiquité, remplit toujours d'émotion ses successeurs, si heureux d'y voir sa pensée apparaître à son heure et dans ses progrès successifs! Non seulement ces papiers réservent souvent encore des trouvailles et réflexions diverses mais ils montrent combien Champollion fut un travailleur méthodique et opiniâtre, que ne rebutait aucune des tâches obscures, condition de toutes les belles découvertes.

Dans la Campagne des Félicités, ces Champs-Elysées des Egyptiens, Champollion «l'Egyptien», «l'Aimé d'Amon», l'ancien copiste appliqué devenu si savant scribe, est désormais au-delà des signes, à moins que, pour fustiger à jamais tous ceux qui s'opposèrent à ses travaux et contestèrent ses résultats, il n'ait enfin pris la forme de l'Osiris à masque de crocodile et d'hippopotame, sous laquelle il se promettait de terroriser Jomard!

Jomard (ci-dessus), coordonnateur des travaux de la Commission d'Egypte, édita plusieurs *Voyages* importants. Il fut également directeur de la Mission scolaire égyptienne. Sa mésentente avec les frères Champollion compliqua le développement des études égyptiennes.

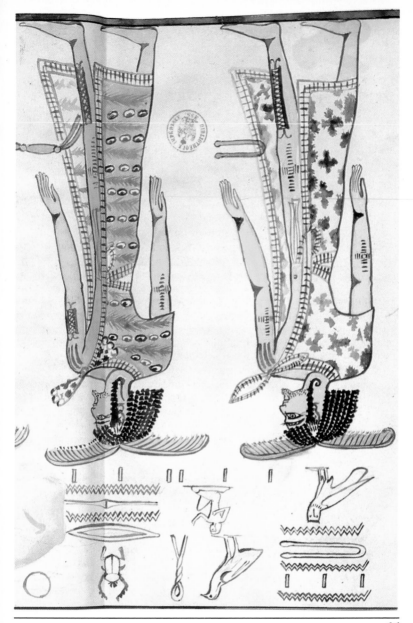

TÉMOIGNAGES
ET DOCUMENTS

Le déchiffreur, le voyageur, l'archéologue
et l'homme de plume

Le déchiffreur des signes muets

Avant l'apparition des premiers textes bilingues, le recours aux informations partielles et contradictoires fournies sur les hiéroglyphes par les auteurs classiques et les Pères de l'Eglise suscitèrent diverses hypothèses qui furent autant de jalons pour Champollion.

L es hiéroglyphes selon Kircher (1602-1680) dont «la figure et le nom furent connus sur toute la terrre».

Au terme d'une glorieuse histoire de plus de trois millénaires, la civilisation pharaonique s'était éteinte sous les coups successifs de l'hellénisme, du christianisme, puis de l'islam. La conquête d'Alexandre avait inauguré la domination des Lagides et des Romains. Malgré des résistances tenaces, le christianisme triompha. Des textes hiéroglyphiques furent pourtant gravés sous Théodore encore, en 394, peu après la proclamation de mesures sévères contre le paganisme, au Ve siècle, à Philae, on écrit parfois en démotique, graphie correspondant à l'état dernier de la langue. Mais en fait, tout est depuis longtemps fini de l'Egypte pharaonique, lorsqu'au VIIe siècle l'islam achève la mutation, presque totale, du pays. La langue antique, notée désormais par des caractères grecs que complètent quelques signes spéciaux, subsiste cependant dans le copte.

Le copte est un témoin de la survie de la civilisation pharaonique, tout comme les ruines qui se dressent, grandioses, au long du Nil : pyramides, temples, tombeaux; loin de là, à Rome en particulier, les obélisques en exil, des statues attestent la grandeur des Pharaons. Ciselés de signes finement gravés : personnages, animaux, plantes, objets divers – les hiéroglyphes –, ces monuments sont désormais muets. Quelques textes antiques : Diodore, Plutarque, Clément d'Alexandrie, Horapollon, Ammien Marcellin, les Pères de l'Eglise apportent sur eux des informations, mais partielles et contradictoires. Pour trouver la clef, où choisir? La curiosité ne manque pas; vivifiée par la Renaissance, une tradition isiaque persiste, mêlée d'ailleurs de courants allégoriques et symbolisants de l'alexandrinisme. Loin d'être une voie d'accès, c'est là plutôt un danger.

Aussi, au milieu du XVIIᵉ siècle, le Père Athanase Kircher, le célèbre auteur de l'*Œdipus Aegyptiacus,* présente-t-il, pour son interprétation des hiéroglyphes, un étrange mélange d'érudition et d'imagination pure. Avec le philosophe Leibniz et Nicolas Fréret, Secrétaire perpétuel de l'Académie, on se détache des idées qui sont censées être directement transcrites dans les signes pour s'attacher davantage à la nature des textes. Au milieu du XVIIIᵉ siècle, l'anglais Warburton tente de replacer les hiéroglyphes dans une vue d'ensemble de l'écriture. Les tentatives d'un comparatisme mal assuré risquent d'ailleurs d'ouvrir de fausses pistes : Cibot, de Guignes veulent trouver des parallèles dans l'écriture chinoise où serait réalisé également le passage direct de la pensée à l'écriture.

Mais le savant Abbé Barthélemy avance quatre propositions importantes : l'identité du copte et de l'égyptien ancien, le rapport possible de celui-ci avec les langues sémitiques, la parenté entre les hiéroglyphes et des formes d'écriture cursive, la valeur des «ovales» (les cartouches) qui entourent les noms royaux. Certes persiste l'attrait d'un symbolisme égyptisant : en 1791, Mozart donne la *Flûte enchantée*; les thèmes isiaques sont en faveur dans les milieux révolutionnaires. Pourtant, patiemment, l'érudit danois Zoëga étudie les obélisques et les manuscrits coptes de Rome; ses deux gros ouvrages sont des jalons importants vers la découverte de Champollion; car ils apportent mieux que des hypothèses, ils rassemblent des matériaux.

Jean Leclant,
*Champollion et le déchiffrement
des hiéroglyphes,*
Institut de France, Paris, 1972

«Lettre à M. Dacier relative à l'alphabet des hiéroglyphes phonétiques»

Monsieur,

Je dois aux bontés dont vous m'honorez l'indulgent intérêt que l'Académie royale des Inscriptions et Belles-Lettres a bien voulu accorder à mes travaux sur les écritures égyptiennes, en me permettant de lui soumettre mes deux mémoires sur l'écriture *hiératique* ou sacerdotale, et sur l'écriture *démotique* ou populaire; j'oserai enfin, après cette épreuve si flatteuse pour moi, espérer d'avoir réussi à démontrer que ces deux espèces d'écriture sont, l'une et l'autre, non pas alphabétiques, ainsi qu'on l'avait pensé si généralement, mais *idéographiques*, comme les hiéroglyphes mêmes, c'est-à-dire peignant les *idées* et non les *sons* d'une langue; et croire être parvenu, après dix années de recherches assidues, à réunir des données presque complètes sur la théorie générale de ces deux espèces d'écriture, sur l'origine, la nature, la forme et le nombre de leurs signes, les règles de leurs combinaisons au moyen de ceux de ces signes qui remplissent des fonctions purement logiques ou grammaticales, et avoir ainsi jeté les premiers fondements de ce qu'on pourrait appeler la *grammaire* et le *dictionnaire* de ces deux écritures employées dans le grand nombre de monuments dont l'interprétation répandra tant de lumière sur l'histoire générale de l'Egypte. A l'égard de l'écriture *démotique* en particulier, il a suffi de la précieuse inscription de Rosette pour en reconnaître l'ensemble; la critique est redevable d'abord aux lumières de votre illustre confrère M. Silvestre de Sacy, et successivement à celles de feu Akerblad et de M. le docteur Young, des premières notions exactes qu'on a tirées de ce monument, et c'est de cette même inscription que j'ai déduit la série des signes démotiques qui, prenant une valeur syllabico-alphabétique, exprimaient dans les textes *idéographiques* les noms propres des personnages étrangers à l'Egypte. C'est ainsi encore que le nom des Ptolémées a été retrouvé et sur cette même inscription et sur un manuscrit en papyrus récemment apporté d'Egypte. [...]

Quant à l'ensemble du système d'écriture phonétique égyptienne (et nous comprenons à la fois sous cette dénomination l'écriture phonétique populaire et l'écriture phonétique hiéroglyphique), il est incontestable que ce système n'est point une écriture purement *alphabétique*, si l'on doit entendre en effet par *alphabétique* une écriture représentant rigoureusement, et chacun dans leur ordre propre, tous les sons et toutes les *articulations* qui forment les mots d'une langue. Nous voyons, en effet, l'écriture phonétique égyptienne, pour représenter le mot *César*, d'après le génitif grec KAÏSAROS, se contenter souvent d'assembler les signes des consonnes, K, S, R, S, sans s'inquiéter de la diphtongue ni des deux voyelles que l'orthographe grecque exige impérieusement [...]. On peut donc assimiler l'écriture phonétique égyptienne, à celle des anciens Phéniciens, aux écritures dites hébraïque, syriaque, samaritaine, à l'arabe cufique, et à l'arabe actuel; écritures que l'on pourrait nommer *semi-alphabétiques,* parce qu'elles n'offrent, en quelque sorte, à l'œil que le squelette seul des mots, les consonnes et les voyelles longues, laissant à la science du lecteur le soin de suppléer les voyelles brèves. [...]

Cartouche d'Alexandre

J'ai déjà fait pressentir que, pour rendre les *sons* et les *articulations,* et former ainsi une écriture phonétique, les Egyptiens prirent des hiéroglyphes figurant des objets physiques ou exprimant *des idées* dont le nom ou le mot correspondant en langue parlée commençait par la voyelle ou la consonne qu'il s'agissait de représenter. Le rapprochement que nous allons faire des signes hiéroglyphiques exprimant les consonnes avec les mots égyptiens exprimant les objets que ces mêmes hiéroglyphes représentent, lèvera toute incertitude sur la vérité du principe [...].

Champollion le Jeune,
Lettre à M. Dacier,
Didot, Paris, 1822

Décryptage et déchiffrement

Tout n'est pas dit lorsqu'une écriture ancienne est lue, et même plus avancé le décryptage de Thomas Young aurait vite trouvé sa limite, car commencer à lire n'est pas déchiffrer.

Cette grande aventure – l'application de la notion de déchiffrement à des écritures mortes – est inséparable de la recherche historique. Plus précisément, l'exigence qui domine sinon le tout premier pas, du moins celui-ci une fois accompli, les progrès de la lecture, est que cette investigation soit elle-même recherche historique.

Dans plusieurs des travaux qui ont été consacrés soit au déchiffrement du système égyptien, soit, plus largement, aux déchiffrements d'écritures mortes à partir du début du siècle dernier, se manifeste une confusion entre les figures de Grotefend et de Champollion : même il advient que le premier soit présenté comme «déchiffreur» plus typique que le second. L'affaire est, à la vérité, fort simple et tout dépend de ce que l'on entend par «déchiffreur».

Le succès remporté par Grotefend sur les inscriptions cunéiformes de Persépolis, en 1802, ne fut, on le sait, suivi d'aucun autre comparable, en dépit des efforts de l'auteur; car, au contraire de Champollion, Grotefend ne possédait, pour affronter les écritures anciennes, aucune préparation spéciale d'orientaliste. Le déchiffrement allait être l'œuvre de la génération qui suivit

celle de Champollion, avec H. Rawlinson au premier rang.

De cette confusion démentie par les faits, entre décryptage pur et simple et déchiffrements d'écritures mortes, quelle morale tirer, sinon une mise en garde? Et qu'il serait, entre autres, dangereux de poser, à l'exclusion de toutes réserves ou nuances relatives aux domaines anciens, que «toute écriture est un chiffrement». Jamais les analogies qui relient les systèmes modernes aux écritures anciennes ne sauraient tourner à l'identification.

Madeleine David-V.,
Le Débat sur les écritures et l'hiéroglyphe aux XVIIe et XVIIIe siècles,
SVPEN, Paris, 1965

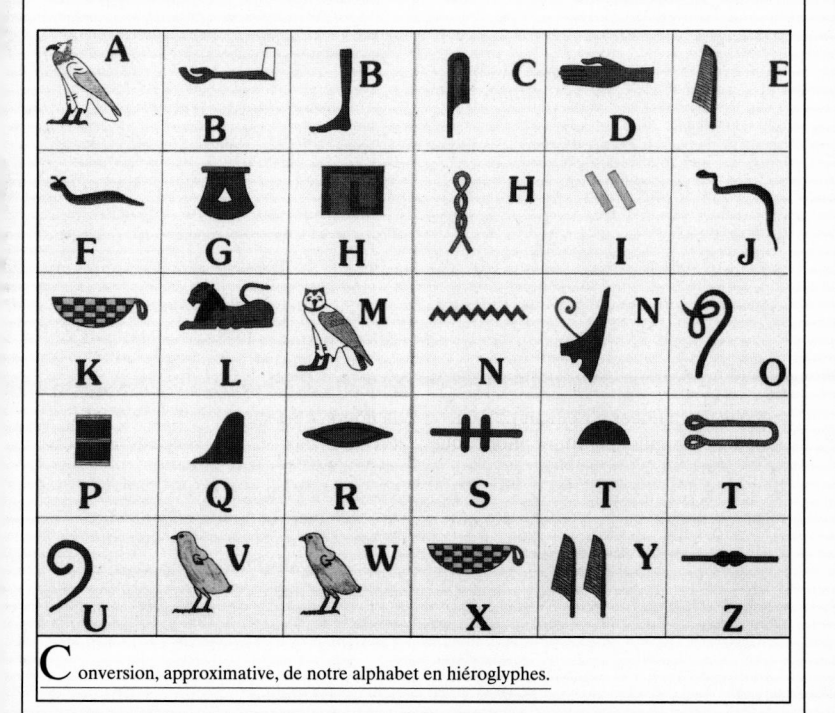

C onversion, approximative, de notre alphabet en hiéroglyphes.

En marge de la Commission d'Egypte

L'opinion du déchiffreur sur les travaux de la commission dirigée par Conté, Lancret puis Jomard pour exécuter la «Description de l'Egypte» fut parfois ambiguë et évolua à diverses reprises, de même que l'appréciation qu' il porta sur certains des savants de l'armée d'Orient.

En 1814, dans *L'Egypte sous les Phararons,* Champollion a rendu hommage à Costaz – «le troisième homme de l'armée d'Orient» selon Bonaparte –, à propos d'El-Kab et de Saqqarah. Ailleurs, reconnaissant que ce sont «les nombreux monuments égyptiens, gravés avec une étonnante fidélité dans ce magnifique recueil (La *Description de l'Egypte*), ainsi que les empreintes, les dessins et les gravures, qui seuls ont pu servir de fondement solide aux recherches des archéologues», Champollion n'est guère tendre, en revanche, pour les savants quand il affirme : «Je n'ai pas un grand respect pour eux, ils pourront nous donner de fort bons dessins, mais leurs explications ne seront justement que de l'eau de boudin.»

Là encore, il convient de distinguer entre son ironie à l'égard de Jomard, ou même de Ripault – l'ancien bibliothécaire de l'Institut d'Egypte qui se risqua à proposer une explication des hiéroglyphes : d'où son surnom «Sphinxinet» – et la franche reconnaissance envers un Jollois qui n'hésita pas à confier au déchiffreur ses empreintes de la pierre de Rosette. Rappelons aussi la réelle sympathie que les frères Champollion éprouvèrent pour trois membres de l'Expédition : Fourier, Geoffroy Saint-Hilaire ou Girard et les liens qu'ils entretinrent avec Dominique Vivant Denon.

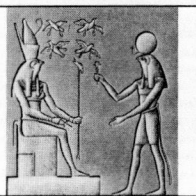

A la lecture d'une lettre que le Figeacois, de Grenoble en 1818, adressa à Ripault, on voit en quelle estime, avant septembre 1822 tout au moins, Champollion tenait la plupart des co-opérateurs de la *Description de l'Egypte* et même tout voyageur ayant parcouru la vallée du Nil :

«Vous avez vu l'Egypte, Monsieur, vous avez parcouru cette terre classique; pendant plusieurs années vous avez étudié ses grands monuments. La riche moisson de faits et d'observations que vous avez recueillie par vous-même et sur les lieux donnera toujours à vos aperçus sur les diverses parties du système graphique des Egyptiens une direction qu'il est bien difficile de puiser dans les livres ou les rapports des voyageurs, quelque exactitude qu'ils aient apportée à leur rédaction. C'est à cela que j'ai été réduit et mes essais sont loin de cette perfection qui ne se peut que de la comparaison d'une grande masse de monuments que je ne connais que par les dessins de la Commission d'Egypte, tandis que vous les avez observés jusque dans leurs plus petits détails.»

Après le déchiffrement, et une fois acquise la certitude que la *Description* demeurera bel et bien un ouvrage inachevé, Champollion est moins indulgent, notamment en juillet 1827 dans son projet de voyage littéraire en Egypte :

«On avait en effet, à la fin du siècle dernier et dans les premières années du siècle présent, aucune donnée positive sur le système des écritures égyptiennes, aussi les membres de la Commission d'Egypte, et la plupart des voyageurs qui ont marché sur leurs traces […] ont-ils attaché moins d'intérêt à copier avec exactitude les longues inscriptions en caractères sacrés qui accompagnent les figures mises en scène dans les bas-reliefs historiques : ils les ont presque toujours négligées, et souvent même, en copiant quelques scènes de ces bas-reliefs, on s'est contenté de marquer seulement la place occupée par ces légendes. C'était cependant, sinon pour cette époque, du moins pour l'avenir, la partie la plus intéressante d'un tel travail.»

Parvenu en Egypte, Champollion s'attacha à faire relever aux artistes qui l'accompagnaient aussi les tableaux déjà copiés et gravés dans la *Description de l'Egypte*. A cette occasion, il put constater l'application, malgré le manque de temps pendant la progression de l'armée française en 1799, de certains de ses devanciers à Assiout et à Thèbes, ainsi qu'il l'écrivit à son frère le

effet, il me semble, par le geste du Figeacois devant l'inscription française laissée dans une tombe à Beni Hassan, que nous pouvons entrevoir son réel sentiment sur l'un des plus inattendus avatars de notre Révolution.

«Les sots de tous les siècles ont eu ici de nombreux représentants; Egyptiens, Grecs, Romains, Coptes, Européens ont cru s'illustrer en griffonnant leurs noms

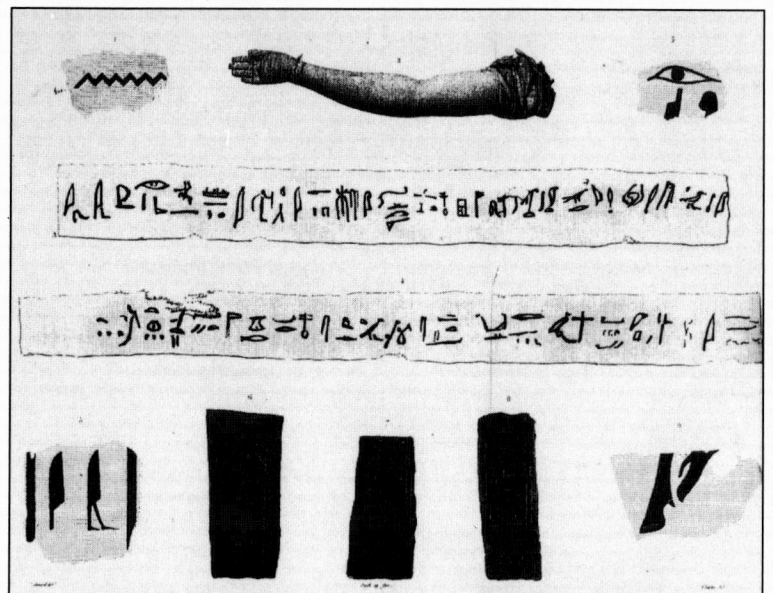

24 novembre 1828 : «C'est le 10 novembre que je quittai Osiouth, après avoir visité ses hypogées parfaitement décrits par Jollois et Devilliers, dont j'admire chaque jour à Thèbes l'extrême exactitude.»

Enfin, à côté de cette pensée pour les savants de la Commission des sciences et des arts, les lettres écrites par Champollion en Egypte nous présentent aussi un voyageur curieux des souvenirs de l'Expédition de Bonaparte. C'est en

sur les peintures et en défigurant les bas-reliefs. Mais à Beni Hassan j'ai trouvé écrite au charbon et presque effacée une inscription bien simple qui m'a ému :
" 1800, 3e régiment de dragons."
J'ai repassé pieusement ces traits à l'encre noire, avec un pinceau...»

En réalité, Champollion ajouta même au-dessous ses initiales et l'indication de l'année, 1828, tout comme, huit ans plus tard, le fera à Philae l'égyptologue Emile Prisse quand, parce que «l'on ne salit pas une page d'Histoire,» il restaurera, lui, la grande inscription française, défigurée alors par plusieurs graffitis. [...] En fait, et malgré sa marotte nommée Jomard, Champollion n'oublia jamais ce qu'il devait aux travaux de la Commission des sciences et des arts. Et puis, son ultime appartement parisien, celui de la rue Favart où il emménagea à son retour d'Egypte, n'était-il pas orné de gravures extraites de la *Description de l'Egypte*?

Michel Dewachter,
L'Egypte, Bonaparte et Champollion,
Association du bicentenaire,
Figeac, 1990

Un curieux bédouin

Mieux que la Commission des sciences et des arts, dont les résultats présentés dans la «Description de l'Egypte» ne peuvent cependant masquer le manque de préparation des savants emmenés en Orient par Bonaparte, l'expédition franco-toscane fut la première entreprise d'exploration systématique de la vallée du Nil «qu'aucune autre n'avait jamais égalée en résultats pour l'antiquité égyptienne», dira Lepsius en 1842. Longtemps différé, ce voyage en Egypte combla Champollion : «Les résultats de mon voyage d'outre-mer ont dépassé mes espérances!», écrira-t-il triomphalement à Dacier, le 1er janvier 1830, et marqua une étape capitale de l'histoire de l'orientalisme.

L'expédition franco-toscane : l'apport des voyageurs

Documentation réunie au préalable par Champollion, programme des travaux projetés, recrutement des collaborateurs et organisation dans le moindre détail du déroulement du voyage furent les conditions essentielles des résultats obtenus partout par Champollion et Rosellini.

Outre de nombreuses planches de la *Description de l'Egypte,* dont certaines vont même être corrigées ou annotées sur les lieux par les membres de la mission franco-toscane, Champollion – grâce aux rapports étroits que lui et son frère surent entretenir avec de nombreux voyageurs – aura à sa disposition pour préparer son expédition un véritable arsenal documentaire constitué de la plupart des relevés effectués en Egypte et en Nubie depuis le retour de l'Armée d'Orient. Parmi les sources de Jean-François, citons notamment Huyot, Cailliaud, Linant, Hyde, Gau, Wilkinson, Bankes, Cooper, Burton, Ricci, Caviglia, Pacho, Rifaud, Vaucelles, etc. La nature exacte de l'aide procurée par cette documentation ou les contacts directs, et parfois amicaux, avec leurs auteurs, ressort parfaitement à la lecture d'une note très détaillée que Frédéric Cailliaud adressa à Champollion le 11 juillet 1828 (cf. texte suivant), cinq jours avant le départ de la malle-poste emmenant le Figeacois, Rosellini et Cherubini. Ayant parcouru, de 1815 à 1822, l'Egypte, les oasis, le désert oriental, de même que le Soudan, celui qui avait été adressé aux frères Champollion, dès octobre 1818, par le consul britannique Henry Salt, était mieux que personne autorisé à fournir les informations sur les conditions d'un voyage à entreprendre en Egypte et en

L e voyageur et architecte Jean-Nicolas Huyot (1780-1840).

Nubie. Comme nous allons le voir, la logistique mais surtout l'intendance de la mission franco-toscane, tenue par le Toscan Carlo Bolano, profitèrent beaucoup de l'expérience et des conseils de Cailliaud, notamment quand les provisions vinrent à manquer en Nubie.

Michel Dewachter

«Note pour M. Champollion»

A prendre à Toulon

Provision d'huile à manger et vinaigre ou plutôt esprit de vinaigre. Quelques flacons de cornichons et de piments dans le vinaigre; une cinquantaine ou centaine de planches de sapin pour faire des caisses en Egypte pour les récoltes d'antiquités; des clous et quelques vis pour faire ces mêmes caisses.

Si M. Champollion veut enlever quelques grosses pièces, il fera bien de prendre aussi à Toulon du bois de charpente pour traîneaux et leviers, et des cordages; deux échelles légères de 25 à 30 pieds pouvant se réunir pour n'en former qu'une en cas de besoin. Poudre fine en paquet pour cadeaux; quelques poudrières et fusils communs. Des tarbouches pour donner aux Arabes. Des paniers pour transporter le dîner dans les temples; il est très nécessaire que les dessinateurs ayent une lunette de spectacle pour distinguer les bas-reliefs qu'ils auront souvent à dessiner aux plafonds des temples.

A Alexandrie

Si le canal est ouvert avec le Nil, les voyageurs loueront leurs barques à Alexandrie pour se rendre jusqu'au Caire; si l'embouchure est fermée, ils se rendront jusqu'aux écluses où ils prendront d'autres barques sur le Nil pour Le Caire.

Pour éviter trop de visites des douanes, il est bon d'avoir une lettre de M. Drovetti pour le vice-consul au Caire qui vous aidera de ses janissaires; ou une lettre pour M. Mssara, drogman de France; prendre de M. Drovetti une lettre pour le Kiaiabé afin d'avoir au Caire un ou deux mameloucks français pour interprètes.

Le vice-consul avec son drogman et des janissaires accompagneront MM. Champollion et Rossilini [sic] à la citadelle chez le Kiaiabé pour avoir des interprètes.

M. Mssara, drogman de France, homme très obligeant, procurera les domestiques arabes qui ont besoin d'être encouragés en partant, en leur donnant des souliers, une chemise de toile bleue, et, si l'on veut, un tarbouche.

Les barques pour la Haute-Egypte

S yout, vu par Cherubini, au matin du 10 novembre 1828

seront louées par mois soit au vieux Caire ou à Boulaq; M. Mssara indiquera à peu près les prix afin de ne pas être autant que possible trompé par les interprètes. Des paras neufs, des gourdes d'Espagne Abou Arba III pour l'expédition à Méroé; deux ou trois selles avec leurs brides pour les ânes.

Un ou deux tapis de prière pour se reposer dans les temples et y prendre ses repas. De grands vases en cuir pour renfermer le beurre, on en prendra peu au Caire, la provision doit se faire dans la Haute-Egypte : haricots blancs, etc. Peu de pain biscotté attendu que dans tous les grands villages de la Haute-Egypte on trouvera du pain frais jusqu'à Assouan; du café, mais la provision ne doit se faire qu'à Kéné; les goulehs à Kéné, tasses à café à la turque avec quelques dessous et autres en cuivre; quelques longues pipes; casseroles, marmites et autres ustensiles de cuisine en cuivre étamé, plats, assiettes et tout ce qui est nécessaire pour la table. Un grand sac en cuir pour conserver le café que l'on ne fera brûler qu'au fur et à mesure de la consommation; trois outres pour transporter l'eau dans les monuments éloignés.

A Boulaq

Grande provision de riz; deux coufes de charbon, des fourneaux pour la cuisine; plusieurs kafaces ou cages à poules; des nattes ou tissus de paille pour mettre sous les matelas des jeunes gens; deux kafaces pour le lit de MM. Ch. [ampollion] et Ros. [ellini]; des lampes pour être suspendues en veilleuse.

A Monfaloute ou à Syout

Toile pour essuie-mains à la cuisine. Une kange commode pour le chef de l'expédition devrait passer la cataracte

d'Assouan, et on louera une autre barque au-dessus de la cataracte pour les jeunes gens. J'engage M. Champollion à faire ce petit trajet par terre. Dans les environs d'Edfou et au-dessous, se procurer grande provision de beurre, de poules, et quelques moutons pour être consommés dans la Basse-Nubie.

A Esné

Grande provision de pain biscotté pour la Nubie.

Ile d'Argot

Enlever le colosse en granit gris qui est divisé en deux parties; un groupe de singes sur les mêmes ruines.

A Barkal

Prendre une tête de lion en granit rose; l'autel en granit gris dans le grand temple vaut bien aussi la peine d'être enlevé. Faire des fouilles devant les sanctuaires des pyramides pour pénétrer dans les petits caveaux souterrains.

Mon cher Monsieur Champollion, je vous renouvelle ici ma prière, c'est de me conserver quelques-unes des coquilles que vous devez destiner à M. le baron de Férussac; il vous sera facile de vous procurer ces objets par le naturaliste envoyé de la Toscane; je voudrais aussi,

s'il est possible, quelques insectes. Je vous prie d'engager beaucoup de ma part ce naturaliste à faire le voyage de la mer Rouge. [...]

Mille amitiés

F. Cailliaud,
note adressée à Champollion,
le 11 juillet 1828,
Mémoires d'Egypte, La Nuée Bleue,
Strasbourg, 1990

Un panorama de l'archéologie égyptienne en 1827

Ce mémoire en forme de programme adressé au roi le 2 juillet 1827, et rédigé par les frères Champollion, est un véritable résumé des connaissances en égyptologie à la veille de l'ouverture du musée Charles-X. Bien entendu, on reconnaît aisément l'auteur du «Panthéon égyptien» dans la réflexion méthodologique destinée aux historiens des religions (2° à 5°). De même, c'est pour plaire à Silvestre de Sacy que la remarque relative à la littérature arabe (20°) a été introduite. Enfin, il n'est pas sans intérêt de noter, chez celui qui avait accordé tant d'importance au copte dès ses premiers travaux, l'intention d'aller explorer les bibliothèques du Ouadi Natroun (18°). Quant au projet de paléographie monumentale (13°), le premier du genre, il est le prolongement logique des petites fiches établies très tôt par Champollion pour chaque signe hiéroglyphique.

«Projet de Voyage littéraire en Egypte»

1°) Visiter un à un tous les monuments antiques de style égyptien, en faire dessiner l'ensemble, et lever le plan du petit nombre de ceux que les voyageurs ont négligés ou n'ont point

suffisamment étudiés.

2°) Rechercher sur chaque temple les inscriptions dédicatoires donnant l'époque précise de leur fondation, et celles qui indiquent toujours l'époque où ont été exécutées les différentes parties de la décoration. C'est, en d'autres termes, recueillir les éléments positifs de l'histoire et de la chronologie de l'art en Egypte.

3°) Copier avec soin, dans tous leurs détails et avec leurs couleurs propres, les images des différentes divinités auxquelles chaque temple était dédié. Recueillir les inscriptions religieuses relatives à ces divinités et tous les titres divers qui leur sont donnés.

4°) Copier surtout les tableaux mythologiques où plusieurs divinités sont mises en scène.

5°) Dessiner les bas-reliefs représentant les diverses cérémonies religieuses, et tous les instruments de culte. Ces divers travaux auront pour résultat de faire connaître à fond l'ensemble du culte égyptien, source de toutes les religions païennes de l'Occident et serviront à démontrer les nombreux emprunts que la religion des Grecs fit à celle de l'Egypte. On terminera ainsi les dissidences qui partagent les savants sur une matière mise en discussion avant de posséder les éléments indispensables pour en éclaircir les difficultés.

6°) Prendre, dans les temples, des calques exacts des figures représentant les divers souverains de l'Egypte, et avec tous les détails de costume, afin de former ainsi l'iconographie des rois et des reines; des bas-reliefs, surtout ceux de l'époque la plus ancienne, offrant le portrait des pharaons, de leurs femmes et de leurs enfants.

7°) Rechercher dans les palais de Thèbes, d'Abydos, de Sohleb, et dans tous les genres d'édifices, tous les bas-reliefs historiques; les dessiner avec soin, figures et légendes, et copier les longues inscriptions historiques qui les suivent ou les séparent.

8°) Recueillir, dans les palais et les tombeaux des rois, tout ce qui se rapporte à la vie publique et privée des pharaons.

9°) Dessiner, dans les catacombes de Thèbes ou des autres villes égyptiennes,

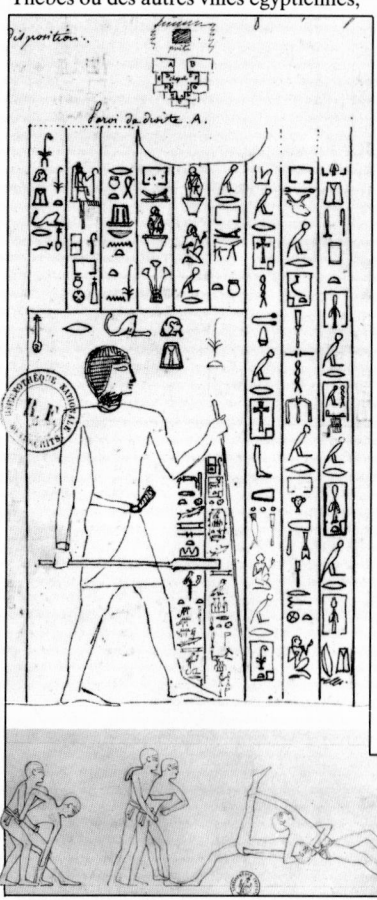

les tableaux et les inscriptions relatives à la vie civile des diverses classes de la nation, surtout ceux qui retracent les arts, les métiers et la vie intérieure des Egyptiens; faire le recueil des costumes des diverses castes, etc.

10°) Copier les inscriptions votives gravées sur la plateforme des temples, sur les rochers environnants et dans les catacombes, toutes les fois que ces inscriptions porteront une date clairement exprimée.

11°) Recueillir toutes les légendes royales sculptées sur les édifices, avec leurs diverses variantes, et préciser le lieu où elles se lisent, pour déterminer ainsi l'ancienneté relative de chaque portion d'un même édifice, et l'état soit progressif soit rétrograde de l'art.

12°) Rechercher et faire dessiner avec soin tous les bas-reliefs et tableaux astronomiques, prendre les dates exprimées soit sur ces mêmes sculptures, soit dans leur voisinage, pour démontrer sans réplique l'époque assez récente de ces compositions, que l'esprit de système s'obstine encore, malgré des démonstrations palpables, à considérer comme remontant à des siècles fort antérieurs aux temps véritablement historiques. On fixera également ainsi l'opinion encore incertaine des savants à l'égard du point réel d'avancement auquel les Egyptiens avaient porté la science de l'astronomie.

13°) On devra recueillir avec un soin scrupuleux tous les caractères hiéroglyphiques de formes différentes, en notant les couleurs de chacun d'eux, afin de former le tableau le plus approximativement complet qu'il sera possible, de tous les caractères employés dans l'écriture sacrée des Egyptiens.

14°) On dessinera toutes les inscriptions qui peuvent conduire soit à confirmer, soit à étendre nos connaissances, relativement à la langue et aux diverses écritures de l'ancienne Egypte.

15°) Il est du plus pressant intérêt, pour les études historiques et philologiques, de chercher dans les ruines de l'Egypte des décrets bilingues, semblables à celui que porte la pierre de Rosette. Ces stèles existaient en très grand nombre dans les temples égyptiens des trois ordres. Des fouilles seront donc dirigées dans l'enceinte de ces temples,

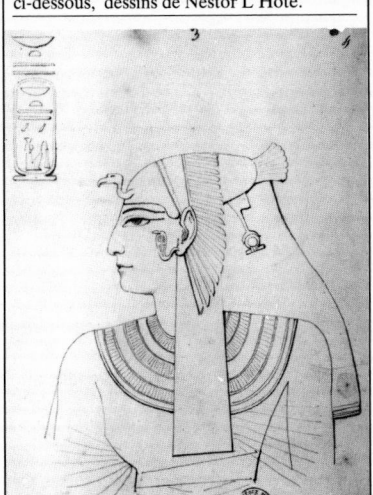

Portrait d'une fille de Ramsès II, copié à Thèbes par Bertin; à gauche et ci-dessous, dessins de Nestor L'Hôte.

pour découvrir de tels monuments, par le secours desquels le déchiffrement des textes hiéroglyphiques ferait un pas immense.

16°) Le directeur du voyage ferait aussi exécuter des fouilles sur les points où il serait possible de rencontrer des monuments historiques de divers genres : ceux des objets trouvés qui mériteraient quelque attention seraient emportés pour être placés au musée royal du Louvre, si ces objets étaient d'ancien style égyptien, et au Cabinet des antiques de la Bibliothèque royale, si ces objets étaient des médailles et des pierres gravées, ou autres monuments de style grec ou romain. Les statues grecques ou romaines appartiendraient aussi au musée des antiques du Louvre.

17°) On pourrait faire également, à Thèbes et dans toutes les autres parties de l'Egypte, des achats d'objets intéressants pour les collections royales; on pourrait compléter ainsi avec avantage les diverses séries de monuments antiques qui existent dans ces établissements.

18°) On désire depuis longtemps que des personnes instruites dans les langues orientales visitent les couvents de la vallée des lacs de Natron et de la Haute-Egypte, et examinent les livres coptes ou autres que renferment les bibliothèques des moines chrétiens, lesquelles peuvent contenir des ouvrages importants. Cette visite pourrait être faite avec soin pendant le voyage, et il serait facile peut-être d'acquérir des manuscrits intéressants à peu de frais.

19°) Quelques voyageurs en Egypte ont parlé d'inscriptions en caractères inconnus, tracées ou gravées sur quelques monuments; on s'attacherait à les recueillir, précisément parce qu'elles sont considérées comme inconnues. Il en serait de même des manuscrits ou inscriptions en phénicien, dont il n'existe encore qu'un très petit nombre en Europe, ainsi que des inscriptions en caractères persépolitains ou cunéiformes, dont l'alphabet n'est pas encore entièrement connu, quoique les monuments où ils sont employés ne soient pas très rares. La découverte des hiéroglyphes phonétiques a concouru à accroître cet alphabet au moyen d'une courte inscription en caractères cunéiformes et en caractères égyptiens. On peut en trouver d'autres qui seraient soigneusement copiées.

20°) Il manque à la Bibliothèque du Roi quelques-uns des plus utiles ouvrages de la littérature arabe. On aurait peut-être l'occasion de les acquérir à un prix convenable.

Jean-François Champollion,
Projet de voyage littéraire en Egypte,
juillet 1827, E. Leroux, Paris, 1909

Le patron, l'organisateur, «le Général»

Réfractaire aux chiffres, Champollion n'en fut pas moins, avec l'aide de Jacques-Joseph, un homme de stratégie privilégiant le long terme, comme le prouve le projet du voyage en Egypte, tout en veillant soigneusement néanmoins au bon déroulement de chaque étape, ainsi qu'en rend parfaitement compte ce «règlement à observer pendant le voyage», conçu par celui qui avait échappé à la conscription mais que ses compagnons de voyage nommèrent «le Général».

Art. I. – M. Champollion est chargé de la direction générale de l'expédition. Il décide des lieux où l'on devra s'arrêter, du temps qu'on doit rester dans chaque station, et généralement de tout ce qui a rapport à la marche du voyage, à la distribution et à l'ordre des travaux.

II. – M. Hippolyte Rosellini est chargé de la direction en second et de tous les détails d'exécution.

III. – M. Lenormant est nommé Inspecteur général et exerce, sous l'autorité du Directeur et du Directeur adjoint, une surveillance sur toutes les branches du service; celui de salubrité lui est spécialement confié, et, à cet effet, il a sous ses ordres les officiers de quart à bord de chaque bâtiment.

IV. – Aucun des membres de l'expédition ne pourra sortir des bâtiments ou s'absenter du camp, sans en avoir fait connaître préalablement les motifs au Directeur général ou au Directeur adjoint.

V. – Chacun doit conserver à bord et au camp le poste qui lui aura été assigné pour lui et pour ses effets.

VI. – Les armes et les provisions de poudre seront déposées au moment de l'embarquement entre les mains d'un délégué chargé de leur placement et conservation. Le même délégué ne pourra les remettre à chacun que sur l'autorisation du Directeur.

VII. – Il ne sera tiré aucun coup d'arme à feu sans avertissement préalable.

VIII. – Chaque membre de l'expédition remplira à tour de rôle, à bord de chaque bâtiment sur lequel il sera embarqué, les fonctions d'officier de quart qui seront ci-dessous déterminées.

IX. – Tout le monde se lèvera à l'heure qui sera fixée pour chaque saison. Une demi-heure après, le branlebas aura lieu sous la surveillance de l'officier de quart. La demi-heure suivante sera donnée à la toilette.

X. – L'officier de quart à bord de l'*Isis* présidera aux préparatifs du déjeuner et du dîner. A cet effet, il devra se trouver à bord une demi-heure avant chaque repas.

XI. – Sous aucun prétexte les matelas seront déroulés au courant de la journée, à moins d'autorisation du chef du service de santé.

XII. – Le branlebas du soir aura lieu une demi-heure avant le moment fixé pour le coucher, toujours sous la surveillance de l'officier de quart.

XIII. – L'officier de quart surveillera le service des domestiques, de manière à ce que les ustensiles de toilette, de table et cuisine soient tenus avec la propreté convenable, et à ce que chaque objet occupe exactement la place qui lui aura été assignée. Il sera chargé pendant toute la journée de l'exécution des ordres du Directeur. Il portera pour marque de distinction une écharpe rouge au bras gauche.

XIV. – Le roulement des fonctions d'officier de quart, à partir du jour de l'embarquement, est établi ainsi qu'il suit :

A bord de l'*Isis*	A bord de l'*Athyr*
1° M. Ricci	1° M. Bertin
2° M. Angelelli	2° M. Duchesne
3° M. Bibent	3° M. Lehoux
4° M. Cherubini	4° M. Raddi
5° M. Gaetano Rosellini	
6° M. N. Lhôte	

XV. – Le chef du service de santé est spécialement chargé de régler le régime diététique qu'on doit suivre soit à bord, soit à terre. Il doit se faire soumettre chaque matin, par le cuisinier, le menu des repas de la journée. Tous les approvisionnements de bouche sont soumis à son contrôle et lui sont expressément consignés.

XVI. – L'architecte de l'expédition est chargé, de concert avec le chef du service de santé, de choisir le local convenable soit pour les campements, soit pour les logements. Il est chargé en chef de la direction des fouilles et de la conservation de tous les ustensiles, instruments et engins à ce nécessaires. A cet effet, il lui sera remis une note de tous lesdits objets, dont il demeurera responsable.

XVII. – Le conservateur du mobilier sera muni d'une note détaillée contenant l'énonciation de toutes les caisses, colis, etc., formant le matériel de l'expédition à l'exception des effets personnels, des ustensiles de table, de toilette, de cuisine, des provisions de bouche et des instruments de fouilles. Il devra veiller à ce que chacun des objets qui lui sont

confiés se conserve en bon état et dans le lieu déterminé pour leur placement, et les remettre à mesure des besoins aux officiers chargés des différents services. Il sera également chargé du transport, du placement et de la conservation desdits objets, lorsqu'on séjournera à terre.

Ordre du jour du 11 septembre [1828]

Sont nommés :

1° Délégué des directeurs à bord de l'Athyr, Professeur Raddi

2° Chef de santé, Docteur Ricci

3° Architecte de l'expédition et Directeur en chef des fouilles, M. Bibent

4° Chef d'armement à bord des deux bâtiments, M. Duchesne

5° Conservateur du mobilier, M. Gaetano Rosellini

6° Secrétaire général chargé de transmettre les ordres du jour, M. Cherubini.

La seconde cataracte et le rocher d'Abousir, où fut gravé le souvenir du passage de l'expédition franco-toscane, vus par Cherubini.

La preuve ou l'autre «Lettre à M. Dacier»

Cinquante-huit ans séparaient Champollion de celui qui avait veillé avec tant de bienveillance sur ses recherches, aussi montra-t-il toujours une attitude quasi-filiale envers le Secrétaire perpétuel de l'Académie des inscriptions et belles-lettres, comme en témoigne cette lettre écrite depuis la seconde cataracte.

Monsieur,

Quoique séparé de vous par les déserts et par toute l'étendue de la Méditerranée, je sens le besoin de me joindre, au moins par la pensée, et de tout cœur, à ceux qui vous offrent leurs vœux au renouvellement de l'année. Partant du fond de la Nubie, les miens n'en sont ni moins ardents, ni moins sincères; je vous prie de les agréer comme un témoignage de souvenir reconnaissant que je garderai toujours de vos bontés et de cette affection toute paternelle dont vous voulez bien nous honorer, mon frère et moi.

Je suis fier maintenant que, ayant suivi le cours du Nil depuis son embouchure jusques à la seconde cataracte, j'ai le droit de vous annoncer qu'il n'y a rien à modifier dans notre *Lettre sur l'alphabet des hiéroglyphes*. Notre alphabet est bon : il s'applique avec un égal succès, d'abord aux monuments égyptiens du temps des Romains et des Lagides,

et ensuite, ce qui devient d'un bien plus grand intérêt, aux inscriptions de tous les temples, palais et tombeaux des époques pharaoniques. Tout légitime donc les encouragements que vous avez bien voulu donner à mes travaux hiéroglyphiques, dans un temps où l'on n'était nullement disposé à leur prêter faveur. [...]

Mes portefeuilles sont déjà bien riches : je me fais d'avance un plaisir de vous mettre successivement sous les yeux toute la vieille Egypte, religion, histoire, arts et métiers, mœurs et usages. [...]

Je vous prie, Monsieur, d'agréer la nouvelle assurance de mon très respectueux attachement.

J.-F. Champollion le Jeune,
Lettre à Joseph Bon-Dacier,
1er janvier 1829

Du soupçon à la certitude et à d'autres possibles

Dans une lettre écrite trois mois plus tard à son frère et depuis la vallée des Rois, Champollion revient sur le même sujet à propos d'un passage relatif à l'incorrigible Thomas Young.
Du reste, le docteur discute encore sur l'alphabet, et moi, jeté depuis six mois au milieu des monuments de l'Egypte, je suis effrayé de ce que j'y lis plus couramment encore que je n'osais l'imaginer. J'ai des résultats (ceci entre nous) extrêmement embarrassants sous une foule de rapports et qu'il faudra tenir sous le boisseau; mon attente n'a point été trompée, et beaucoup de choses que je soupçonnais vaguement ont pris ici un corps et une certitude incontestable.

Au-delà de toute imagination : Thèbes!

Celui qui, dès 1811, avait publié à Grenoble un article intitulé «Thèbes» avait eu raison de placer tant d'espérances en cette escale. En novembre 1826, il écrit à son ami turinois l'abbé Gazzera : «Quel plaisir d'oublier les sots au milieu des monuments de Thèbes.» Rêver Thèbes

pendant toute sa vie fut le privilège de Champollion. Parvenu enfin à la seconde cataracte, il languissait déjà de retrouver la ville d'Amon comme il le confia dans une lettre à son ami Augustin Thévenet.

Je retournerai en Egypte vers le milieu de février pour m'établir, jusques à la fin d'août, à Thèbes, c'est-à-dire au milieu de ce que la main des hommes a fait de plus magnifique, de plus grand et de plus merveilleux. Tous les superlatifs du monde ne sont que bagasse, quand il s'agit de parler de cette aînée des villes royales. J'y ai resté huit jours à courir comme un fou, au milieu des colosses, des obélisques et des colonnades qui passent ce que l'imagination peut concevoir de plus grandiose. Maintenant, j'y resterai sept mois au moins et je crains de ne pouvoir jouir encore de tout ce qu'elle renferme d'intéressant et de curieux. C'est un monde de monuments, ou plutôt c'est Thèbes et c'est tout dire : c'est le plus grand mot qui existe dans aucune langue.

Lettre à Augustin Thévenet,
1er janvier 1829

L'enthousiasme de la découverte, dans la dernière semaine de novembre 1828, ne

s'est donc pas estompé et les mots adressés alors à son frère témoignent à jamais de son ravissement que partageront ensuite bien de ses disciples.

Tout ce que j'avais vu à Thèbes, tout ce que j'avais admiré avec enthousiasme sur la rive gauche, me parut misérable en comparaison des conceptions gigantesques dont j'étais entouré. Je me garderai bien de vouloir rien décrire; car, de deux choses l'une, ou mes expressions ne rendraient que la millième partie de ce qu'on doit dire en parlant de tels objets, ou bien si j'en traçais une faible esquisse, même fort décolorée, on me prendrait pour un enthousiaste, tranchons le mot –, pour un fou. Il suffira d'ajouter, pour en finir, que nous ne sommes en Europe que des Lilliputiens et qu'aucun peuple ancien ni moderne n'a conçu l'art de l'architecture sur une échelle aussi sublime, aussi large, aussi grandiose, que le firent les vieux Egyptiens; ils concevaient en hommes de cent pieds de haut, et nous en avons tout au plus cinq pieds huit pouces. L'imagination qui, en Europe, s'élance bien au-dessus de nos portiques, s'arrête et tombe impuissante au pied des cent quarante colonnes de la salle hypostyle de Karnac.

Lettre à Jacques-Joseph Champollion,
24 novembre 1828

Le modèle

Les nombreux et brillants résultats obtenus sur le terrain par l'expédition franco-toscane conduisirent, en février 1842, le nouveau professeur de l'université de Berlin, Richard Lepsius – le plus grand égyptologue après Champollion –, à interroger Champollion-Figeac en vue de la préparation de l'expédition prussienne

T hèbes : les deux colosses du pharaon Aménophis III, évoqués aussi dans le portrait de Champollion par Cogniet.

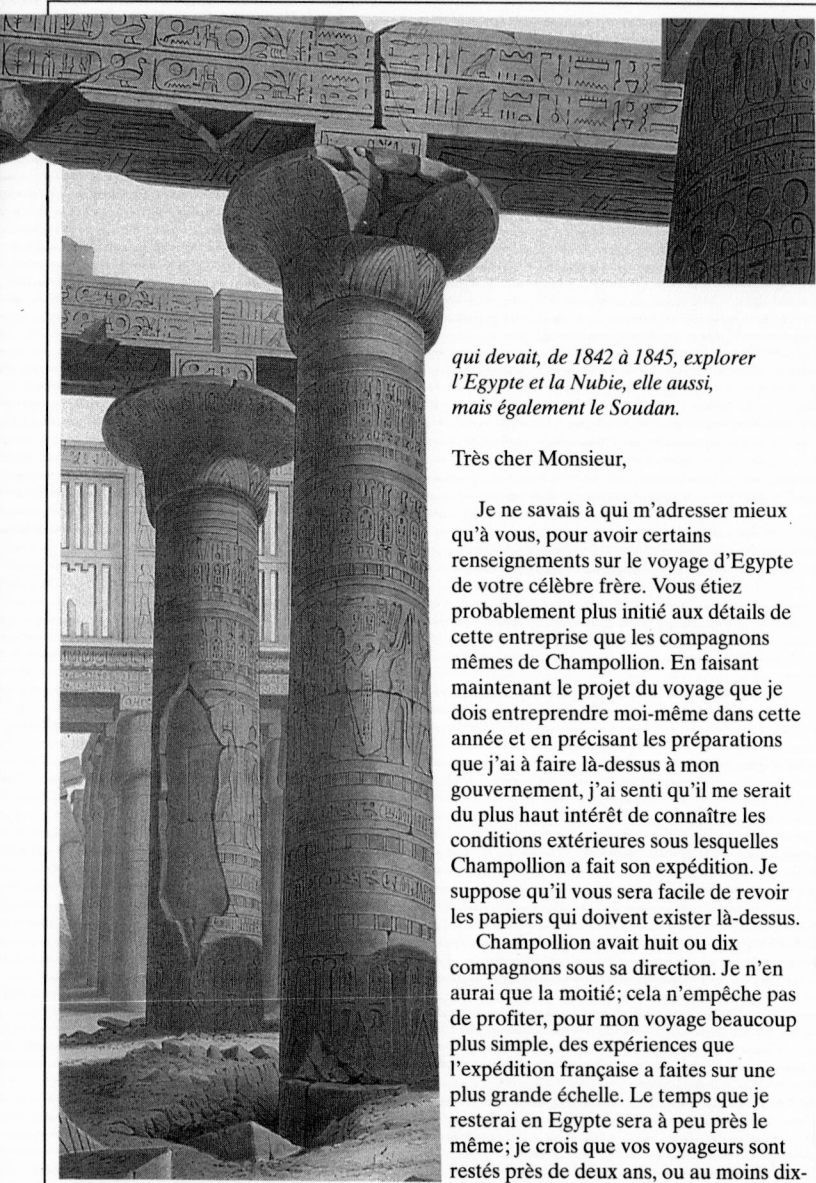

*qui devait, de 1842 à 1845, explorer
l'Egypte et la Nubie, elle aussi,
mais également le Soudan.*

Très cher Monsieur,

Je ne savais à qui m'adresser mieux
qu'à vous, pour avoir certains
renseignements sur le voyage d'Egypte
de votre célèbre frère. Vous étiez
probablement plus initié aux détails de
cette entreprise que les compagnons
mêmes de Champollion. En faisant
maintenant le projet du voyage que je
dois entreprendre moi-même dans cette
année et en précisant les préparations
que j'ai à faire là-dessus à mon
gouvernement, j'ai senti qu'il me serait
du plus haut intérêt de connaître les
conditions extérieures sous lesquelles
Champollion a fait son expédition. Je
suppose qu'il vous sera facile de revoir
les papiers qui doivent exister là-dessus.

Champollion avait huit ou dix
compagnons sous sa direction. Je n'en
aurai que la moitié ; cela n'empêche pas
de profiter, pour mon voyage beaucoup
plus simple, des expériences que
l'expédition française a faites sur une
plus grande échelle. Le temps que je
resterai en Egypte sera à peu près le
même ; je crois que vos voyageurs sont
restés près de deux ans, ou au moins dix-

La salle hypostyle de Karnak, à gauche, et le grand temple d'Abou Simbel, ci-dessus, retinrent aussi l'attention de Richard Lepsius, lors de l'expédition prussienne en 1842-1845.

huit mois en Egypte : or quels sont les frais de voyage qu'on lui a accordés en partant et comment vos calculs sont-ils justifiés après son retour? Avait-il une caisse commune pour tous, ou est-ce que ses compagnons avaient des engagements à part et voyageaient à leurs propres frais? Je suppose que le calcul du premier équipement et du retour en Europe n'a pas été confondu avec les frais de voyage pendant le séjour en Egypte.

Avait-il des fonds à part pour des fouilles et pour des achats (destinés) à enrichir votre musée? Je sais qu'il a rapporté un certain nombre d'objets très importants.

Quant aux portefeuilles qu'il a rapportés, je pense que tous les dessins appartenaient au gouvernement, les esquisses et les notes aux voyageurs. Voilà les principales questions que j'avais à faire sur les frais en général et sans les conditions des compagnons. Ajoutez-y, je vous prie, tout ce que vous pensez profitable pour mon voyage. On doit avoir fait bien des expériences pendant cette expédition, qu'aucune autre n'avait jamais égalée en résultats pour l'antiquité égyptienne. [...]

Richard Lepsius,
lettre à Champollion-Figeac,
février 1842

Archéologie et patrimoine : la protection des monuments égyptiens.

Dans une note préparée à Alexandrie, en novembre 1829, à l'intention de Méhémet Ali, Champollion attire l'attention du vice-roi sur tous les sites d'Egypte, de Nubie et du Soudan qu'il conviendrait de protéger désormais, annonçant ainsi la réglementation de 1835. Cette liste, très complète, est précédée aussi par une «note nominative de ceux qu'on a récemment détruits».

M éhémet Ali, pour les travaux duquel bien des sites antiques furent mis à mal.

«Note remise au vice-roi pour la conservation des monuments de l'Egypte»

Parmi les Européens qui visitent l'Egypte, il en est annuellement un très grand nombre, qui, n'étant amenés par aucun intérêt commercial, n'ont d'autre désir ou d'autre motif que celui de connaître par eux-mêmes et de contempler les monuments de l'ancienne civilisation égyptienne, monuments épars sur les deux rives du Nil, et que l'on peut aujourd'hui admirer et étudier en toute sûreté, grâce aux sages mesures prises par le gouvernement de Son Altesse.

Le séjour plus ou moins prolongé que ces visiteurs doivent faire nécessairement dans les diverses provinces de l'Egypte et

de la Nubie tourne à la fois au profit de la science qu'ils enrichissent de leurs observations, et à celui du pays lui-même, par leurs dépenses personnelles, soit pour les travaux qu'ils font exécuter, soit pour satisfaire leur active curiosité, soit même encore pour l'acquisition de l'art antique.

Il est donc du plus haut intérêt pour l'Egypte elle-même que le gouvernement de Son Altesse veille à l'entière conservation des édifices et monuments antiques, l'objet et le but principal qu'entreprennent, comme à l'envi, une foule d'Européens appartenant aux classes les plus aisées de la société.

Leurs regrets se joignent déjà à ceux de toute l'Europe savante qui déplore amèrement la destruction de toute une foule de monuments antiques, démolis totalement depuis peu d'années, sans qu'il en reste la moindre trace. On sait bien que ces démolitions barbares ont été exécutées contre les vues éclairées et les intentions bien connues de Son Altesse et par des agents incapables d'apprécier le dommage, que, sans le savoir, ils causaient ainsi au pays; mais ces monuments n'en sont pas moins perdus sans retour, et leur perte réveille, dans toutes les classes instruites, une inquiète et bien juste sollicitude sur le sort à venir des monuments qui existent encore.

Voici la note nominative de ceux qu'on a récemment détruits :

1° Tous les monuments de Chéik-Abadé : il ne reste plus debout que quelques colonnes de granit

2° Le temple d'Ashmounéïn; l'un des plus beaux monuments de l'Egypte

3° Le temple de Kaou-el-Kebir : ici le Nil a autant détruit que les hommes

4° Un temple au nord de la ville d'Esné

5° Un temple vis-à-vis d'Esné sur la rive droite du fleuve

6° Trois temples à El-Kab ou El-Eitz

7° Deux temples dans l'île, vis-à-vis de la ville d'Osouan, Géziret-Osouan

Ce qui fait une perte totale de treize ou quatorze monuments antiques, du nombre desquels trois surtout étaient du plus grand intérêt pour les voyageurs et les savants.

Il est donc urgent et de la plus haute importance que les vues conservatrices de Son Altesse étant bien connues de ses agents, ceux-ci les suivent et les remplissent dans toute leur étendue; l'Europe entière serait reconnaissante des mesures actives que Son Altesse voudra bien prendre pour assurer la conservation des temples, des palais, des tombeaux, et de tous les genres de monuments qui attestent encore la puissance et la grandeur de l'Egypte ancienne, et sont en même temps les plus beaux ornements de l'Egypte moderne.

Dans ce but désirable, Son Altesse pourrait ordonner :

1° Qu'on enlevât, sous aucun prétexte, aucune pierre ou brique, soit ornée de sculptures, soit non sculptée, dans les constructions et monuments antiques existants encore dans les lieux suivants, tant de l'Egypte que de la Nubie :

– En Egypte

San, sur le canal de Moëz, Basse Egypte

Bahbéït, près de Samannoud, Basse Egypte

Ssa-el-Hagar, Basse Egypte

Kasr-Kéroun, dans la province de Fayoum

Chéik-Abadé, pour le peu qui reste

El-Arabah ou El-Madfouné, au-dessus de Girgé

Kehft

Kous
Kourna et environs
Médinet-Habou et environs
Louqsor (El-Oqsour)
Karnac et environs
Medamoud
Erment
Tâoud, vis-à-vis Erment, sur la rive droite
Esné
Edfou
Koum-Ombou
Osouan, quelques débris
Géziret-Osouan, quelques débris

– En Nubie, au-delà de la première cataracte

Géziret-el-Birbé
Géziret-Béghé
Géziret-Séhhélé
Déboude
Gharbi-Dandour
Béit-Oually, près de Kalabschi
Kalabschi
Ghirsché-Hassan ou Gerf-Hosséïn
Dakké
Moharraka
Ouady-Essebouâ
Amada ou Amadon
Derri
Ibrîm
Ibsamboul ou Abou-Simbel
Gébel-Addéh
Maschakit

Ouady-Halfa, quelques débris sur la rive gauche

– Au-delà de la seconde cataracte

Semnéh, Sohleb, Barkal, Assour, Naga, et autres lieux où existent des monuments antiques jusqu'à la frontière du Sennâar, où il n'en existe plus.

2° Les monuments antiques creusés et taillés dans les montagnes sont toujours aussi importants à conserver que ceux qui sont construits en pierres tirées de ces mêmes montagnes. Il est urgent d'ordonner qu'à l'avenir on ne commette aucun dégât dans ces tombeaux, dont les fellahs détruisent les sculptures et les peintures, soit pour se loger ainsi que leurs bestiaux, soit afin d'enlever quelques petites portions de sculptures pour les vendre aux voyageurs, en défigurant pour cela des chambres entières. Les principaux points à recommander sont, en particulier, les grottes (magarah) des montagnes voisines de :

Sakkara
Béni-Hassan et environs
Touna-Gébel
El-Tell
Samoun, près de Manfalouth

"Le soir même du 1er décembre [1828], nous arrivâmes à Ombos"

El-Arabah
Kourna et environs
Biban-el-Molouk, près de Kourna
El-Eitz ou El-Kab
Gébel-Selseléh

C'est dans les monuments de ce genre qu'ont journellement lieu les plus grandes dévastations. Elles sont commises par les fellahs, soit pour leur propre compte, soit surtout pour celui des marchands d'antiquités qui les tiennent à leur solde. Je sais même, à n'en pas douter, que des édifices ont été détruits par ces spéculateurs européens, sur l'espoir de découvrir quelque objet curieux dans les fondations; mais les grottes sculptées ou peintes, et que l'on découvre chaque jour à Sakkara, à El Arabah, à Kourna, sont à peu près détruites presque aussitôt qu'on en a fait l'ouverture, par l'ignorance et l'avidité des fouilleurs ou de leurs employés.

Il serait plus que temps de mettre un terme à ces barbares dévastations, qui privent à chaque instant la science de monuments d'un haut intérêt, et désappointent la curiosité des voyageurs, lesquels, après tant de fatigues, n'ont souvent ainsi que des regrets à exercer sur la perte de tant de sculptures ou de peintures curieuses.

En résumé, l'intérêt bien entendu de la science exige, non que les fouilles soient interrompues, puisque la science acquiert chaque jour, par ces travaux, de nouvelles certitudes, et des lumières inespérées, mais qu'on soumette les fouilles à un règlement tel, que la conservation de tombeaux découverts aujourd'hui et à l'avenir soit pleinement assurée et bien garantie contre les atteintes de l'ignorance ou d'une aveugle cupidité.

Champollion le Jeune,
note à Méhémet Ali,
Alexandrie, novembre 1829

Le site d'Abou Simbel auquel Champollion consacra quinze jours.

Du calame à la plume

Comme toutes les correspondances du siècle dernier, celle de Champollion est abondante, très variée et nous renseigne autant sur son œuvre que sur sa personnalité, ainsi que le souligne Jean Leclant qui a fait publier à la fois les «Lettres à son frère» et les «Lettres à Zelmire».

L e Collège de France où Champollion, l'étudiant de 1807, enseignera en 1831.

Mon très cher frère,

Tu dois avoir reçu hier un paquet de lettres que j'ai remis à Mr Point. Je t'écris aujourd'hui touchant l'affaire du manuscrit que tu fais copier à la Bibliothèque Impériale. J'ai vu hier au soir une lettre de Mr Millin, qui me marque qu'il a été forcé, pour faire vivre cet homme, de lui avancer quelques petites choses, et il me prie instamment d'arranger cette affaire, puisque, me dit-il, elle me regarde de plus près que lui, et qu'il se fait un devoir, par amour pour l'humanité, de m'engager à t'écrire de suite, et, si je peux, de lui donner un acompte. Je m'empresse de t'instruire de tout cela et je te prie aussi de m'envoyer de quoi payer les trois mois qu'il a passés à écrire, ce qui dans ces temps-ci est un travail d'enragé. Ce pauvre diable n'a pas un sol dans sa poche, et je lui ai donné un louis à compte, que j'ai

emprunté et que je te prie de joindre à l'argent que tu lui destines, afin que je puisse m'acquitter. Je t'avouerai même que je n'ose plus mettre les pieds aux Manuscrits, à cause de cet homme, qui me fait vraiment pitié. J'en souffre autant que lui, et lorsqu'il vient chez moi pour me parler de cela, j'éprouve beaucoup de peine de le voir dans un état si déplorable.

Je te prie fortement d'envoyer de suite de quoi le payer, tu me feras plaisir autant qu'à lui. Mr Millin est de fort mauvaise humeur. Il m'a parlé souvent de ce pauvre homme. Fais diligence, et envoie de quoi le satisfaire.

Je te dirai que je connais ma grammaire persane sur le bout du doigt. J'ai mis deux jours en travaillant continuellement à la réduire en tableaux, et ce travail m'a beaucoup servi. Je suis les cours de Mr de Sacy au Collège de France et ceux de Mr Langlès à l'Ecole spéciale. Je leur ai remis les lettres qui leur étaient destinées. Ils m'ont chargé de te dire mille choses honnêtes de leur part. Et Mr Langlès en particulier m'a dit de te mander qu'il tâcherait de tout son pouvoir de faire réussir ce dont tu lui parles.

Mr de Sacy m'a donné la grammaire de Wilken en 3 volumes. Le prix est de 12**. Il m'a remis le *Kholaïlah oua Dimnah Kitab,* ou bien le recueil des fables de Pilpaï, le philosophe indien. Il coûte 5**. Mr Faujat m'a donné de quoi les payer. Outre cela, Mr de Sacy m'a fait présent de ses tableaux des verbes, qui sont en treize grandes feuilles de papier satiné broché imprimées avec luxe à l'Imprimerie Impériale.

Les heures de cours ayant changé, voila mon nouvel arrangement :

1. Le lundi à 8 heures et quart, je pars pour le Collège de France, où j'arrive à 9 heures. Tu sais qu'il y a beaucoup de chemin, c'est place Cambray, près le Panthéon. A neuf heures, je suis le cours de persan de Mr de Sacy jusqu'à 10. En sortant du cours de persan, comme celui d'hébreu, de syriaque et de chaldéen se fait à midi, je vais de suite chez Mr Audran, qui m'a proposé de me garder chez lui les lundis, mercredis et vendredis depuis 10 heures jusques à midi. Il reste dans l'intérieur du Collège de France. Nous passons ces deux heures à causer de langues orientales, à traduire, soit hébreu, syrien, chaldéen ou arabe, et nous consacrons toujours une demi-heure à travailler la grammaire chaldéenne et syriaque. A midi, nous descendons, et il fait son cours d'hébreu. Il m'appelle le patriarche de la classe, parce que je suis le plus fort. (Cet arrangement te fera plaisir, je n'en doute pas.)

En sortant de ce cours à 1 heure, je traverse tout Paris et vais à l'Ecole spéciale suivre à 2 heures le cours de Mr Langlès, qui me donne des soins particuliers : nous parlons aux soirées.

2. Le mardi, je vais au cours de Mr de Sacy à 1 heure à l'Ecole Spéciale.

3. Le mercredi, je vais au collège de France à 9 heures. A 10, je monte chez Mr Audran. A midi, je suis à son cours. A 1 heure, je vais à l'Ecole spéciale pour 2 heures, le cours de Mr Langlès, et le soir, à 5, je suis celui de Dom Raphaël qui nous fait traduire La Fontaine en arabe.

4. Jeudi à 1 heure, le cours de Mr de Sacy.

5. Le vendredi, je vais, comme le lundi, au Collège de France chez Mr Audran, de Sacy.

6. Le samedi, chez Mr Langlès à 2 heures.

Je voulais suivre le cours de turc chez Mr Jaubert, qui est un excellent enfant, mais, comme cela me fatiguait trop de courir tant, j'ai remis cette langue à l'année prochaine.

Je suis beaucoup échauffé, je vais prendre quelques bains, qui me donneront assez de force pour continuer mes cours.

Adieu, je t'embrasse de tout mon cœur, ainsi que Zoé.

Bien des choses de ma part à P. Mes respects à Mr, Mme Berriat et à toute la famille. Adieu, ton frère,

Lettre à Jacques-Joseph,
27 décembre 1807, Paris

J.-F. Champollion le jeune

Un patron comblé : la mémorable campagne d'Abou Simbel

J'ai revu les colosses qui annoncent si dignement la plus magnifique excavation de la Nubie. Ils m'ont paru aussi beaux de travail que la première fois, et je regrette de n'être point muni de quelque lampe merveilleuse pour les transporter au milieu de la place Louis XV, afin d'écraser ainsi d'un seul coup tous les détracteurs de l'art égyptien. Tout est colossal ici, sans en excepter les travaux que nous avons entrepris, dont le résultat aura quelque droit à l'attention publique. Tous ceux qui connaissent la localité savent quelles difficultés on a à vaincre pour dessiner un seul hiéroglyphe dans le grand temple. [...]

Le 3 [janvier] au matin, nous avons amarré nos vaisseaux devant le temple d'Hathor à Ibsamboul; je t'ai déjà donné une note sur ce joli temple [...].

Le 3 au soir, commencèrent nos travaux à Ibsamboul. Il s'agissait d'exploiter le grand temple, encore vierge, et c'est le mot, car le peu que Belzoni et Gau ont publié des bas-reliefs

intérieurs ressemble bien mal aux originaux : tout y est méconnaissable, dessin et couleur. Nous avons formé l'entreprise d'avoir les dessins en grand et coloriés de tous les bas-reliefs qui décorent la grande salle du temple, les autres pièces n'offrant que des sujets religieux. Et lorsque l'on saura que la chaleur qu'on éprouve dans ce temple, aujourd'hui souterrain (parce que les sables en ont presque couvert la façade), est comparable à celle d'un bain turc fortement chauffé, quand on saura qu'il faut y rentrer presque nu, que le corps ruisselle perpétuellement d'une sueur abondante qui coule sur les yeux, dégoutte sur le papier déjà trempé par la chaleur humide de cette atmosphère chauffée comme dans un autoclave, on admirera sans doute le courage de nos jeunes gens, qui bravent cette fournaise pendant trois ou quatre heures par jour, ne sortent que par épuisement, et ne quittent le travail que lorsque leurs jambes refusent de les porter.

Aujourd'hui 12, notre plan est presque accompli. Nous possédons déjà six grands tableaux (bas-reliefs) représentant :

1° Ramsès le Grand sur son char, les chevaux lancés au grand galop [...].

2° Le Roi à pied, venant de terrasser un chef ennemi, et en perçant un second d'un coup de lance. [...].

3° Le Roi est assis au milieu des chefs de l'armée [...]

4° Le magnifique tableau représentant le triomphe du Roi et sa rentrée solennelle (à Thèbes, sans doute), debout sur un char superbe, traîné par des chevaux marchant au pas, et richement caparaçonnés. [...]

5° et 6° Deux grands tableaux, représentant le Roi faisant hommage de captifs de diverses nations aux dieux de Thèbes et à ceux d'Ibsamboul. [...]

❝Le 3 [janvier] au soir commencèrent nos travaux à Ibsamboul». «Mes jeunes peintres ont travaillé en conscience❞, écrira Champollion à Dubois le 27 décembre 1829.

Je voudrais conduire dans le grand temple d'Ibsamboul tous ceux qui refusent de croire à l'élégante richesse que la sculpture peinte ajoute à l'architecture; dans moins d'un quart d'heure, je réponds qu'ils auraient sué tous leur préjugés, et que leurs opinions a priori les quitteraient par tous les pores.

Rosellini et moi, nous nous sommes réservé la partie des légendes hiéroglyphiques, souvent fort étendues, qui accompagnent chaque figure ou chaque groupe dans les bas-reliefs historiques. Nous les copions sur place, ou d'après les empreintes en papier lorsqu'elles sont placées à une grande hauteur; je les collationne plusieurs fois sur l'original, je les mets au net et les donne aussitôt aux dessinateurs, qui, d'avance, ont réservé et tracé les colonnes destinées à les recevoir. [...]

Voilà où en est notre mémorable campagne d'Ibsamboul : c'est la plus pénible et la plus glorieuse que nous pussions faire pendant tout le voyage en Egypte. Français et Toscans ont rivalisé de zèle et de dévouement, et j'espère que, vers le 15, nous mettrons à la voile pour regagner l'Egypte, en chantant victoire. Adieu, mon cher ami, je t'embrasse, ainsi que tous les nôtres [...].

Lettre à Jacques-Joseph,
12 janvier 1829, Abou-Simbel

<u>Dédain pour les détracteurs :</u>
<u>la meilleure attitude</u>

Sur l'avis du bon M. Sallier, le savant collectionneur aixois, Champollion brûlait sans exception et immédiatement les écrits que les opposants à son système ne cessaient de publier. Son dédain et son calme contre la mauvaise foi évidente sont parfaitement exprimés dans cette lettre à Rosellini qu'il avait quitté à Alexandrie en octobre 1829.

J'ai parcouru ici une partie des pamphlets dont la clique a bien voulu me régaler pendant mon absence; cela est dégoûtant et vous sentez qu'on ne répond à cela que par le mépris et en continuant son chemin sans faire cas de tous ces moustiques. Ma *Grammaire* paraîtra à la fin de cette année : c'est la préface indispensable de notre voyage. Elle ne convertira pas, au reste, ceux qui combattent mon système et déprécient mes travaux, parce que ces messieurs ne veulent point être convertis et sont tous de la mauvaise foi la plus inique. Mais tout cela est dans l'ordre. Je les connais, j'y crache dessus et je passe. Vous savez que j'ai falsifié la Table d'Abydos, et cela parce que les mauvaises copies de Bankes et de Wilkinson ne sont pas d'accord avec le dessin de Cailliaud, lequel est d'accord avec les stèles, les papyrus et les monuments qui donnent à part les cartouches de chacun de ces rois. Que voulez-vous dire à des gens qui raisonnent de cette force? Pour prouver que je me contredis, ils citent mes diverses opinions sur certains points, sans dire (et voilà la mauvaise foi) à quelle époque j'ai dit ceci et à quelle époque j'ai modifié mon opinion. Mais cela ne les arrangerait pas. Ils citent comme si j'avais dit blanc et noir le même jour, sans faire le compte des modifications que la progression de mes études a dû apporter sur certains points. Toute ma réponse est que mon voyage n'a apporté aucune espèce de modification aux principes du système hiéroglyphique, exposée dans mon *Précis*.

Lettre à I. Rosellini,
29 janvier 1830, Aix-en-Provence

<u>Un épistolier sensible, talentueux</u>
<u>et parfois féroce</u>

Aujourd'hui, le téléphone, la rapidité des transports, nous font négliger l'habitude et le goût de la correspondance; c'est un véritable genre littéraire que nous avons perdu : l'art épistolaire. Goûtons-le avec un auteur qui mériterait, pour certaines de ses œuvres, d'être compté au nombre des maîtres de la littérature française.

<u>Lettres à son frère (1804-1818)</u>

Pour une période qui s'étend de l'âge de quatorze à celui de vingt-huit ans, on peut suivre, dans les confidences les plus intimes, les hésitations de J.-F. Champollion, ses projets, ses réalisations : c'est un grand chapitre de la science ainsi directement ouvert. Ce sont aussi les espoirs et les déboires d'une âme chaleureuse, mais très sensible, qui sont mis à nu. Que d'intrigues autour de Champollion : Silvestre de Sacy, affecté de surnoms tels que «le jésuite», «le rabbin», ainsi que «l'Anglais», c'est-à-dire Langlès, le spécialiste d'arabe à l'École des Langues Orientales – deux professeurs qui tentèrent avec opiniâtreté de briser l'essor du jeune génie (le premier devait, mais bien plus tard, célébrer ses mérites) –, «Polycarpe», c'est-à-dire son rival Etienne Quatremère, «un envieux», que les «Messieurs du fauteuil» firent entrer à l'Institut tout jeune, en 1815, pour lui barrer le chemin. Ces noms de code entre les deux frères témoignent de leur véhémence et de leurs ressentiments; ce furent eux-mêmes des polémistes redoutables, qui, pour soutenir leurs découvertes sur les hiéroglyphes, n'hésitèrent pas devant les campagnes de presse.

Un étudiant impécunieux et un jeune savant amoureux

Mais c'est surtout un merveilleux caractère que l'on découvre avec Jean-François Champollion, non seulement le savant, mais l'homme. On mesure sa gentillesse, sa générosité, son enthousiasme. Que de détails touchants : les demandes de papier, de livres adressées à son frère, mais aussi de vêtements : un «frac», une «anglaise», ses angoisses pour le paiement de ses logeurs. Que de hauts et de bas – et de troubles du corps, de la tête, du cœur; «ce dernier est le côté faible et,

malheureusement pour moi peut-être, celui qui conduit toute mon existence» : la correspondance évoque discrètement son penchant pour Pauline, la sœur de Zoé Berriat, que Champollion-Figeac épousa; on songe à son aventure parisienne au printemps 1809 qui lui fit écrire à l'austère mentor qu'était son frère : «Je ne suis pas d'humeur à dompter non seulement l'amour que j'ai d'être libre, mais encore moins de répondre de l'impassibilité de mon cœur…»

Lettres à Zelmire (1826-1829)

Jean-François Champollion fut un passionné. N'a-t-il pas écrit : «Seul l'enthousiasme est la vraie vie.» Le registre de la passion amoureuse nous est aujourd'hui révélé par sa correspondance avec Angelica Palli. Dès la première lettre, du 19 septembre 1826, nous découvrons, non sans une profonde émotion, le drame poignant de la vie sentimentale de Jean-François Champollion et la présente correspondance nous révèle une idylle. Nous n'en voyons en fait que le long déclin, Angelica Palli n'ayant guère répondu à l'ardeur confiante de Champollion. Ces lettres demeurent des témoignages combien émouvants de la très riche sensibilité de l'illustre savant.

A l'aurore du romantisme, à la naissance de l'orientalisme, les œuvres, mais aussi la vie de Champollion et de ses contemporains demeurent des témoignages bien dignes de nous intéresser et de nous émouvoir encore.

Jean Leclant,
Champollion, Lettres à son frère et Lettres à Zelmire,
L'Asiathèque, 1984 et 1978, Paris

Du mémorial à l'image d'Epinal

La célébration enthousiaste du génie de Champollion a finalement occulté son difficile itinéraire et imposé l'image du professeur, de l'académicien et du fondateur de l'égyptologie peint par Léon Cogniet.

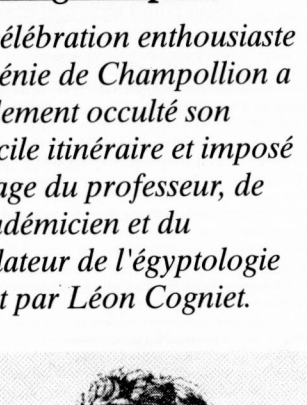

Jean-François CHAMPOLLION

150me Anniversaire
de la traduction des Hiéroglyphes
1822 - 1972

FIGEAC (Lot)

Un nom pour la postérité

Décédant un an après Champollion, Dacier n'eut pas l'occasion de lire à l'Académie des inscriptions et belles-lettres l'éloge de celui dont il avait tant protégé et soutenu les recherches.
Le 2 août 1833, cet honneur revint donc au nouveau Secrétaire perpétuel, Silvestre de Sacy, l'ancien professeur de Jean-François et, un moment, partisan de Thomas Young.

Parmi les pertes douloureuses que l'Académie a éprouvées en 1832, dans cette année désastreuse qui a couvert la France de tant de deuil, il n'en est point, après celle de l'immortel Cuvier, qui ait été plus vivement sentie dans toute l'Europe savante, que la mort de Champollion le Jeune. Ce n'était pas seulement un savant distingué que perdait le monde littéraire; avec lui, semblait s'ensevelir dans la tombe et rentrer dans le domaine des ténèbres et de la mort toute la science et tous les arts de l'antique Egypte; et le jour qui avait commencé à luire sur les monuments de

Thèbes et de Memphis, et à les faire sortir de leurs ruines, s'évanouissait, comme ces lacs fantastiques que crée dans le désert une vapeur légère, et qui disparaissent devant le voyageur altéré, au moment où il croit les atteindre et y étancher la soif qui le brûle. [...]

Nous ne voulons pas dire qu'il n'y aura rien à réformer dans les applications nombreuses que Champollion a faites de son système; nous ne prétendons point affirmer qu'il ne se soit jamais trompé dans la lecture ou dans l'interprétation de quelques caractères ou de quelques mots. Ce sera à ceux qui entreront dans la même carrière, à faire ce qu'il aurait fait lui-même, avec sa bonne foi et sa franchise accoutumée; et ce n'est certes pas parmi ceux qui s'attacheront à ses belles découvertes et leur feront porter des fruits que le temps jaloux lui a enviés, que sa mémoire trouvera des détracteurs.

Nous ne voulons pas dire non plus que désormais les antiquités de l'Egypte n'auront plus aucun mystère. Peut-être reste-t-il, dans le système graphique des Egyptiens, quelque secret qui s'est dérobé aux efforts du nouvel Œdipe, et se dérobera encore longtemps à ceux de ses successeurs. Peut-être, faute de connaître dans toute son étendue l'ancienne langue de la patrie des Pharaons, ses dialectes, les variations qu'elle a pu éprouver pendant une longue suite de siècles, rencontrerons-nous encore bien des énigmes, dans les mots mêmes dont la lecture ne nous offrira aucune difficulté, mais dont le sens pourra échapper à nos investigations. Mais dans quelle partie de l'antiquité, comme dans toutes les sciences, l'esprit humain ne se heurte-t-il pas, à chaque instant, contre des obstacles qui l'avertissent de sa faiblesse, et qui servent en même temps d'un utile exercice au perfectionnement de ses facultés? La postérité n'en reconnaîtra pas moins avec nous que, depuis la renaissance des lettres, peu d'hommes ont rendu à l'érudition des services égaux à ceux qui consacrent à l'immortalité le nom de Champollion.

Silvestre de Sacy,
Notice sur la vie et les ouvrages
de M. Champollion le Jeune,
Paris, 1833

Les «vases Champollion» chez la reine

De même que Denon, directeur de la manufacture de Sèvres sous l'Empire, puisa dans ses propres portefeuilles des sujets égyptiens pour orner ou imaginer

des vases, des objets décoratifs ou des pièces de vaisselle, Louis-Philippe s'inspira de relevés effectués dans les tombeaux thébains par la mission franco-toscane pour, comme le rapporte Aimé Champollion-Figeac, faire créer trois vases en biscuit de Sèvres.

Le roi Louis-Philippe s'intéressait tout particulièrement à la publication des œuvres de Champollion le Jeune et, lorsque Champollion-Figeac lui présenta le premier volume du voyage de son frère, il remarqua entre autres une planche représentant des vases d'une extrême élégance, qui pouvaient remonter à 1500 ans avant J.-C.[...] Il voulut que la manufacture royale de Sèvres reproduisît trois de ces vases et il trouva ces reproductions si parfaites qu'il les fit placer aux Tuileries dans l'appartement particulier de la reine.

Aimé Champollion-Figeac,
Les deux Champollion,
1887

1836 : Figeac aussi a son obélisque

Une semaine seulement après le décès de Champollion, le conseil municipal de Figeac décida qu'un «monument Champollion» serait élevé sur les bords du Célé et lança immédiatement une souscription. Quatre années furent nécessaires à l'aboutissement du projet qui consista finalement en l'édification d'un obélisque, comme le rappelle le baron Chaudruc de Crazannes, ami des frères Champollion et membre de la commission chargée d'exécuter ce monument.
Dès le principe, le projet de monument, composé, ainsi que les devis des travaux, par M. l'ingénieur des Ponts-et-Chaussées Andral, et présenté par les

commissaires, fut soumis, par M. le préfet du Lot, au ministre compétent. [...] Bientôt après, l'adjudication des ouvrages eut lieu; ils ont été terminés dans le courant de la campagne de 1835.

Ce monument, exécuté avec tout le soin et toute l'intelligence que les amis des arts demandaient, et surveillé avec le zèle le plus éclairé et le plus assidu, par l'architecte-urbain, M. Engel, consiste dans un obélisque égyptien du style le plus sévère et le plus pur. La pierre dont il est construit, extraite d'une carrière voisine de Figeac, a été reconnue la plus convenable parmi un grand nombre d'échantillons, par MM. les ingénieurs Vicat et Andral. Elle est de couleur grisâtre, et d'un grain très dur et très fin, susceptible d'acquérir l'éclat et le poli du marbre. [...]

Chacune des faces du socle est disposée de manière à recevoir des tables en plaque de bronze, sur lesquelles seront gravées deux inscriptions, dont l'une votive et l'autre commémorative, et deux bas-reliefs égyptiens, l'un allégorique et l'autre historique, d'après les propositions faites et les sujets indiqués par l'Académie royale des inscriptions et belles-lettres de l'Institut, sur le rapport de la commission des Inscriptions et Médailles. [...]

Dans les boîtes de fer-blanc, scellées dans les fondements de l'obélisque, on a placé, 1°) quelques feuilles d'impression de la grammaire égyptienne de Champollion, contenant les valeurs et l'explication de l'alphabet hiéroglyphique, etc., sur papier papyrus; 2°) la délibération municipale du 11 mars 1832, et la liste des membres de la commission du monument, écrites sur velin ou parchemin; 3°) des médailles, dont une en bronze fort belle et du plus grand format, de Sa Majesté Louis-Philippe, adressée par M. le ministre de

l'Intérieur à M. le préfet du Lot, dans cet objet; diverses monnaies d'or et d'argent à l'effigie du même prince. Une magnifique médaille antique, en cuivre, grand module de Ptolémée-Soter, de la plus parfaite conservation, rapportée d'Egypte par Champollion; et, enfin, un grand nombre de figurines d'Isis, de scarabées, d'amulettes, etc., aussi antiques, et trouvées sur cette même terre classique par notre illustre Quercinois. [...]

L'inauguration solennelle du monument Champollion aura lieu immédiatement après le placement des bas-reliefs et des inscriptions, et celle de la grille. Des députations de l'Institut et des compagnies savantes, ainsi que des corps constitués, corporations et autres sociétés qui ont souscrit, les souscripteurs individuels, les fonctionnaires publics du département du Lot, seront invités à assister à cette cérémonie.

Baron Chaudruc de Crazannes,
Notice sur le monument Champollion, élevé à Figeac, par souscription, en 1836

Jean-François, Ippolito, Karl Richard, Emmanuel, Samuel et les autres

Pour que porte tous ses fruits la découverte de Champollion «grâce à laquelle, selon lui, la science devait ajouter à l'histoire des hommes les pages que le temps semblait avoir à jamais dérobées», encore convenait-il que ses travaux puissent être poursuivis.

A la mort de Champollion, il s'en fallut de peu que la science qu'il avait fondée ne disparût avec lui. Fort heureusement, un jeune savant allemand, Richard Lepsius, prit presque aussitôt le flambeau. En 1837, il écrivit sa *Lettre à M. le Professeur Rosellini sur l'alphabet hiéroglyphique,* publiée aussitôt à Rome. Il établissait un certain nombre de points nouveaux en analysant le caractère réel des voyelles notées par les hiéroglyphes, le nombre des consonnes employées, les variations de la langue au cours de sa longue histoire. Finalement, il établissait plus clairement les profondes différences qui séparaient le copte de l'égyptien. La suite de sa carrière ne devait pas démentir un si remarquable début.

En Angleterre, Birch introduisit les méthodes de Champollion et continua son œuvre. En France, personne ne semblait armé pour prendre la succession. Letronne était demeuré essentiellement helléniste. Lenormant ne donnait rien. Heureusement le vicomte

Emmanuel de Rougé, âgé de 25 ans, se mit à lire la *Grammaire* de Champollion en 1836. Dix ans après, il était devenu un maître et publia les premières traductions de textes suivis : l'*Inscription d'Ahmosis fils d'Abana,* lue en mai et juin 1849 à l'Académie, parut en 1851; le *Conte des deux frères* fut composé en 1851-1852 et le *Poème de Pentaour* fut publié en 1856. La méthode rigoureuse de Champollion, appliquée à l'analyse des textes, donnait ses premiers résultats positifs. L'œuvre de l'initiateur génial était désormais sauvée. Il suffisait maintenant de débrouiller patiemment les différentes étapes de l'histoire d'une langue dont les productions s'étalaient sur près de quatre millénaires. Ce fut l'œuvre d'une pléiade européenne d'abord, à laquelle bientôt l'Amérique devait joindre des savants de premier ordre. Le déchiffrement de Champollion, si discuté au début, trouvait dans le développement de l'égyptologie la plus magnifique justification et la gloire la plus flatteuse.

François Daumas,
Archeologia, n° 52, novembre 1972

Le contresens de Bartholdi et des commémorations

L'air conquérant donné par le sculpteur Auguste Bartholdi à son Champollion du salon de 1875 reflète beaucoup plus l'âge d'or de l'impérialisme colonial dans lequel baigna le sculpteur, que la période romantique où évolua le déchiffreur, comme l'analyse l'Egyptien Anouar Louca.

Accueilli par la statue de Champollion, l'étudiant égyptien qui pénètre dans l'enceinte du Collège de France se trouve en pays de connaissance. Au Caire, Champollion a sa rue. Mais au bord du Nil, la terre plate porte ce nom comme une abstraction. Le personnage s'efface, laissant la place à une perspective ouverte, une allée qui débouche sur le musée. Vers un tel lieu, où l'humanité amnésique rejoint un pan de sa mémoire, la continuité restituée par le savant emprunte l'ultime dépouillement de la forme linéaire.

A Paris, comment peut-on être Champollion?

Le voilà, le grand homme chez lui. Un Occidental vigoureux d'un galbe parfait, engoncé dans sa redingote. Un académicien mondain sortant, sans doute, d'un salon de la capitale. Son élégance ne l'empêche cependant pas de perpétrer un geste agressif : il pose son pied gauche sur la tête d'un pharaon. Ainsi campé, penché de haut, le menton soutenu par son poing fermé et le coude butant contre son genou plié, il réfléchit – et fait réfléchir. Prend-il contact, par ce pied, avec un monde souterrain? Cherche-t-il au-delà des siècles un point d'appui, sur le cerveau même d'un règne décapité? Ou bien se plaît-il à écraser définitivement un adversaire qu'il a vaincu?

L'équilibre plastique du personnage exclut ici toute ambivalence, alors qu'éclate le paradoxe de sa posture. Au lieu de se montrer suspendu aux lèvres des pharaons, à l'écoute de leurs moindres accents, ce penseur guindé, doublé d'un athlète, se dresse sur son socle dans toute la supériorité d'un bourgeois conquérant! [...]

L'humilité du savant qui a déchiffré les hiéroglyphes, qui a levé par sa main le voile tombé sur l'histoire de l'humanité depuis mille cinq cents ans, contraste étrangement en Egypte avec les lauriers, dont l'Europe venait de le couronner. Mais cet esprit de quête, qui définit

Champollion, a déserté sa statue du Collège de France.

C'est qu'un demi-siècle déroutant sépare le sculpteur de son modèle : Frédéric Auguste Bartholdi (1834-1904) appartient à l'âge d'or de l'impérialisme, alors que Jean-François Champollion avait vécu en plein romantisme. Si la découverte du savant se fonde dans une intuition particulièrement attentive à la voix des ancêtres pétrifiés, le nouveau maître de la pierre, lui, se laisse envahir par la force déchaînée de la révolution industrielle. Vision réaliste, certes. L'Egypte que visitera Bartholdi en 1856 est celle du pré-colonial Saïd Pacha, proie des aventuriers, et des nababs; lorsqu'il y retournera, en 1867, avec la maquette d'un monument à la gloire du canal de Suez, il pourra comparer l'omnipotence de Ferdinand de Lesseps à l'épuisement du Khédive endetté. [...]

Champollion incarne l'humanisme des romantiques. A lire ses œuvres et sa correspondance, on le voit particulièrement tourné vers ce qu'il entend, habité par son but, impatient de restituer une unité perdue, brûlant sans cesse les étapes qui l'en séparent. [...] En explorant l'espace mental de Champollion, où l'Egypte tient la place centrale vers laquelle il se transporte de tout son être, nous mesurons l'erreur de Bartholdi. Illusion de puissance qui va jusqu'à la méprise complète de la communion célébrée. Un homme debout, le pied sur la tête d'un autre, est une polarisation verticale, inhérente à la dialectique du haut et du bas. Certes, des mythes antiques à la sociologie moderne – avec ses classes stratifiées, ses superstructure et infrastructure – l'Occident a rassemblé sur cet axe quelques-unes des lignes de force de sa culture. Mais l'image d'un Champollion superbe, engendrée dans l'orgueil du

colonialisme, a survécu à cette époque révolue. Les fêtes du cent-cinquantenaire ont prolongé le triomphalisme de celles du centenaire. A l'éloquence des orateurs de 1922, répondirent les trompettes d'Aïda sous la coupole de l'Institut, le 22 octobre 1972, et les discours exaltant le génie divinateur. On dirait que Champollion avait créé l'égyptologie *ex nihilo*!

Anouar Louca,
Champollion entre Bartholdi et Chiftichi, Paris, Sindbad, 1989

Monsieur le Conservateur, portrait par Théodule Deveria.

Modernité, jeunesse et originalité de Champollion

De l'imagerie d'Epinal à l'éloge académique, le déchiffreur reste tout à la fois proche de chacun d'entre nous et l'un des plus grands génies du siècle dernier. Emmanuel Le Roy Ladurie met en avant ici ces deux propositions contradictoires.

Champollion est l'un de ces hommes que leur personnalité lumineuse, voire romantique, rend proche de beaucoup d'entre nous. C'est aussi, avec Pasteur, l'un des savants français qui conserve, bien après sa mort, une audience relativement populaire, proche parfois de l'image d'Epinal. L'un et l'autre, il est vrai, ont ouvert à l'imagination un nouvel espace : mise au jour d'un infiniment petit ou du moins d'un «très petit», dont l'exploration, certes, était déjà commencée depuis le XVIIᵉ siècle, s'agissant du grand biologiste; dévoilement d'un monde immense, cette Egypte ancienne restée muette pendant près de deux millénaires et qui fascinait l'Europe, tant à l'Est qu'à l'Ouest, tant chez les anciens Grecs que chez les nouveaux Français.

L'égyptologue détient d'autres titres encore à l'affection de ses compatriotes.

Il est mort jeune, ce qui, tristement, ajoute à sa séduction comme à celle d'un Evariste Galois ou d'un André Chénier. Et puis il se situe dans le sillage d'un Bonaparte, et de sa fascinante Expédition d'Egypte, scientifique autant que militaire. [...]

Activiste, boulimique de savoir, dépressif parfois, Champollion n'a guère connu les joies ni les plaisirs qu'on associe d'ordinaire (en fonction de stéréotypes peut-être usés) à la prime jeunesse et à la jeunesse en général. De celles-ci, il aura néanmoins, sa vie durant, conservé l'insolence, la drôlerie, l'opiniâtreté, un certain besoin d'affection. Brûlant les étapes quand il s'agit d'apprendre des langages ou de mieux connaître l'histoire ancienne et «nilotique», il se fait précautionneux dès lors qu'il doit s'atteler au déchiffrement des hiéroglyphes. Agé de trente-deux ans, il peut enfin affirmer, en septembre 1822, devant l'Académie des inscriptions et belles-lettres, qu'il a percé à jour le système d'écriture des Egyptiens.

Certes, on avait travaillé sur des hiéroglyphes bien avant Champollion, mais, au terme d'une avancée simultanément patiente et foudroyante, il balaie les quelques «découvertes» qui lui étaient antérieures et qui jamais, en réalité, n'avaient touché au but. Après 1822, Champollion continue de creuser, d'avancer à son rythme propre dans l'exploration d'une langue d'ores et déjà élucidée, mais point encore connue parmi tous ses détails. En 1828, lors d'un voyage en Egypte, il lit sans difficulté les inscriptions qu'il découvre.

Champollion fut quelquefois blessé par les attaques d'une communauté scientifique qui éventuellement le jalousait. On a même prétendu qu'il lui arrivait d'être galvanisé par la sottise (des autres). A première vue, on serait tenté de dire qu'à défaut de Champollion, le secret des hiéroglyphes eût été de toute façon, ne serait-ce qu'en notre temps, révélé avec l'aide puissante des ordinateurs; telle serait du moins la vision conforme aux vulgates contemporaines, saturées d'informatique. Il serait même plaisant de soutenir, à titre de paradoxe, que l'équation personnelle de l'immense chercheur qu'était Champollion fut telle, et son génie particulier à ce point déterminant que, sans lui, on ne lirait toujours point la langue des pharaons!

Nous n'avons pas besoin, il est vrai, de cette argumentation un peu spécieuse pour rendre au grand déchiffreur l'immense hommage qui lui revient de droit.

Emmanuel Le Roy Ladurie,
Mémoires d'Egypte, Fondation Mécénat
Science et Art, Strasbourg, 1990

L e 19 décembre 1986, le Président de la République, et le secrétaire perpétuel de l'Académie des inscriptions et belles-lettres inaugurent à Figeac le Musée Champollion.

BIBLIOGRAPHIE

Œuvres de Jean-François Champollion

Lettres à son frère (1804-1818), présentées par Pierre Vaillant. Paris, L'Asiathèque, 1984.

Lettres à Zelmire, présentées par Edda Bresciani. Paris, L'Asiathèque, 1978.

L'Egypte sous les pharaons ou recherches sur la géographie, la langue, les écritures et l'histoire de l'Egypte avant l'invasion de Cambyse. Description géographique. Paris, De Bure, 1814.

Lettre à M. Dacier, secrétaire perpétuel de l'Académie royale des Inscriptions et Belles-Lettres, relative à l'alphabet des hiéroglyphes phonétiques employés par les Egyptiens pour inscrire sur leurs monuments les titres, les noms et les surnoms des souverains grecs et romains. Paris, Firmin Didot, 1822; reprise en Edition du Centenaire, Paris, P. Geuthner, 1922, et en reproduction : Fontfroide, Bibliothèque Artistique et Littéraire, 1989.

Panthéon égyptien, collection des personnages mythologiques de l'ancienne Egypte, d'après les monuments, avec un texte explicatif, Paris, Firmin Didot, 1823-1831; réédition, Paris, Perséa, 1986.

Précis du système hiéroglyphique des anciens Egyptiens, ou recherches sur les éléments premiers de cette écriture sacrée, sur leurs diverses combinaisons, et sur les rapports de ce système avec les autres méthodes graphiques égyptiennes. Paris, Treutel & Würtz, 1824 et 1828.

Lettres à M. le duc de Blacas d'Aulps, premier gentilhomme de la Chambre, pair de France, relatives au Musée royal égyptien de Turin. Paris, Firmin Didot, 1824-1826.

Notice descriptive des monuments égyptiens du Musée Charles X : seconde division. Paris, Crapelet, 1827.

Lettres écrites d'Egypte et de Nubie en 1828 et 1829. Paris, Firmin Didot, 1833; réimpression anastatique, Genève, Editions Slatkine, 1973.

Monuments de l'Egypte et de la Nubie, d'après les dessins exécutés sur les lieux sous la direction de Champollion le Jeune et les descriptions autographes qu'il en a rédigées. Paris, Firmin Didot, 1835-1845; réduction photographique : Genève, Les Belles-Lettres, 1970-1973.

Grammaire égyptienne ou principes généraux de l'écriture sacrée égyptienne appliquée à la représentation de la langue parlée. Paris, Firmin Didot, 1836-1841; reproduction avec fac-similés sous le titre : *Principes généraux de l'écriture sacrée égyptienne.* Paris, Institut d'Orient, 1984.

Dictionnaire égyptien en écriture hiéroglyphique. Paris, Firmin Didot, 1841-1844; réédition Starnberg, LTR-Verlag, 1988.

Monuments de l'Egypte et de la Nubie. Notices descriptives conformes aux manuscrits autographes rédigés sur les lieux par Champollion le Jeune. Paris, Firmin Didot, 1845-1889; réduction photographique, Genève, Les Belles-Lettres, 1973-1974.

Lettres écrites d'Italie, recueillies et annotées par H. Hartleben. Paris, Ernest Leroux, 1909.

Lettres et journaux écrits pendant le voyage d'Egypte, recueillis et annotés par H. Hartleben. Paris, Ernest Leroux, 1909; réimpression : Paris, Christian Bourgois, 1986.

Ouvrages sur Champollion

Carbonnell, Charles-Olivier, *L'Autre Champollion. Jacques-Joseph Champollion-Figeac (1778-1867).* Toulouse, Presses de l'Institut d'Etudes Politiques, 1984.

Champollion-Figeac, Aimé *Les Deux Champollion, leur vie et leurs œuvres.* Grenoble, Xavier Drevet, 1887.

Dewachter, Michel, *Nouveaux Documents relatifs à l'expédition franco-toscane en Egypte et en Nubie (1828-1829).* Paris, Société Française d'Egyptologie, 1988.

Dewachter, Michel, *L'Expédition franco-toscane en Egypte : clés et notes pour le tableau d'Angelelli.* Figeac, Amis du Musée Champollion, 1988.

Dewachter, Michel, *Musée Champollion. La Collection égyptienne.* Figeac, 1986.

Hartleben, Helmine, *Champollion, sa vie et son œuvre (1790-1832).* Paris, Pygmalion, 1983 (traduction et adaptation de l'ouvrage paru à Berlin en 1906).

Kettel, Jeannot, *Jean-François Champollion le Jeune – Répertoire de bibliographie analytique 1806-1989.* Paris, Institut de France, 1990.

La Brière, Léon de, *Champollion inconnu – Lettres inédites.* Paris, Librairie Plon, 1897.

Lacouture, Jean, *Champollion, une vie de lumières.* Paris, Grasset, 1988.

Leclant, Jean, *Champollion, la pierre de Rosette et le déchiffrement des hiéroglyphes.* Paris, Institut de France, 1972.

Leclant, Jean, *Champollion et le Collège de France.* Paris, Société Française d'Egyptologie, 1982.

Posener, Georges, *Champollion et le déchiffrement de l'écriture hiératique.* Paris, Institut de France, 1972.

Pourpoint, Madeleine, *Champollion et l'énigme égyptienne.* Paris, Cercle français du Livre, 1963.

Silvestre de Sacy, Isaac, *Notice sur la vie et les ouvrages de M. Champollion le Jeune.* Paris, Firmin Didot, 1833.

Yoyotte, Jean, *Le Panthéon égyptien de Jean-François Champollion.* Paris, Société Française d'Egyptologie, 1982.

Ouvrages collectifs

Ecole Pratique des Hautes Etudes, *Recueil d'études égyptologiques dédiées à la mémoire de Jean-François Champollion le Jeune à l'occasion du Centenaire de la «Lettre à Monsieur Dacier».* Paris, 1922.

Bicentenaire Champollion, l'Egypte, Bonaparte et Champollion. Figeac, 1990.

Hommage de l'Europe à Champollion, Mémoires d'Egypte, Fondation Mécénat Science et Art, Strasbourg et Bibliothèque nationale, 1990.

TABLE DES ILLUSTRATIONS

COUVERTURE

Ier et 4e plats
Champollion par L. Cogniet, et dessins des papiers Champollion. Louvre et BN.
Dos Statue de Champollion par Bartholdi. Collège de France, Paris.

OUVERTURE

Edition (1) et manuscrit (2-7) de la *Grammaire égyptienne.* B. N.
8-9 Scribe accroupi, calcaire peint. Musée du Louvre.

CHAPITRE I

10 Champollion, peinture de L. Cogniet. Musée du Louvre.
11 Maison natale de Champollion, Figeac.
12-13 Vue de Figeac, lithographie d'Eugène Gluck.
14 Place de la Halle, Figeac, illustration de G. Hermet d'après une gravure de P. Bories, XIXe siècle.
15g Impasse

Champollion, Figeac.
15d Les bords du Célé, photographie ancienne.
16-17h L'expédition d'Egypte, esquisse de L. Cogniet. Musée du Louvre.
16b, 17b Dessins aquarellés relevés à Béni-Hassan, pour les *Monuments de l'Egypte et de la Nubie.* B. N.
18h J.-J. Champollion, gravure d'après un portrait par Eugène Champollion.
18-19 Vue de Grenoble, peinture de J. Achard. Musée de Grenoble.
20h Manuscrit hébreu. B. N.
20b *Remarques sur la Fable des Géants,* 1804. B. N.
21 Alphabet arabe, planche de l'*Encyclopédie,* de Diderot et d'Alembert, 1751.
22h J. Fourier, gravure de Boilly. B. N.
22b Ecole centrale de l'Isère, actuel lycée Stendhal, dessin de P.-L. Duplat, années 1830. Bibliothèque municipale, Grenoble.

23 Le *Livre des morts* de Nebqed, papyrus. Musée du Louvre.
24-25h De g. à d., alphabets grandan, persan, syriaque, arabe, turc, planches de l'*Encyclopédie.*
24b Diligence des messageries «Les Jumelles», 1824, aquarelle de K. Loeillot-Hartwig. Musée de la Poste, Amboise.
25 J.-F. Champollion, gravure.

CHAPITRE II

26 Fac-similé du programme de l'Ecole des langues orientales pour l'an 9.
27 Fiche pour le dictionnaire des hiéroglyphes, de Champollion.
28-29 La Bibliothèque royale vers 1831, gravure. B. N.
28h Fac-similé de la loi créant l'Ecole des langues orientales, prairial an 4.
29 Papyrus «Cadet». B. N.
30h Silvestre de Sacy, gravure de Boilly. B. N.

30b Traités de mathématiques, manuscrit arabe, Xe siècle. B. N.
31g Eglise Saint-Roch, Paris, lithographie d'Arnout, vers 1830. B. N.
31d Alphabet copte, planche extraite de l'*Encyclopédie.*
32 La pierre de Rosette. British Museum, Londres.
33 Fac-similé de la pierre de Rosette. B. N.
34 L'hôtel de la Monnaie, Figeac, gravure du baron Taylor, 1833.
34-35h Acclamation de Napoléon à Grenoble, le 7 mars 1815, gravure.
36 *Dictionnaire Copte* et *Cartes du dictionnaire hiéroglyphique* de Champollion. B. N.
37 Page de titre de *L'Egypte sous les pharaons,* 1814. B. N.

CHAPITRE III

38 J.-F. Champollion, peinture par Mme de Rumilly. Collection

Chateauminois.
39 Cartouche de Philométor. B. N.
40 *Notes sur l'écriture démotique,* de Champollion. B. N.
41h Papyrus Prisse. B. N.
41b Détails du fac-similé du bas-relief trouvé par Belmore à Thèbes en 1818.
42h Café des frères Provençaux, lithographie de Fichot d'après Chapuy, 1846. B. N.
42b Planche des hiéroglyphes de la pierre de Rosette, dans *Hieroglyphics,* de T. Young, Londres 1823. B. N.
43 Cartouche de Cléopâtre et notes de Champollion. B. N.
44b La lettre «s».
44-45 Côtés et haut, détails de la tombe de Séthi Ier, chromolithographie.
45g Statuette du dieu Thot, bronze. Musée du Louvre.
45h Le signe «ms».
45mh Cartouche de Ramsès.
45mh Cartouche de Thoutmosis.
45b Noms de Thoutmosis.
46 *Tableau des signes phonétiques des écritures hiéroglyphiques et démotique...* et détail de la signature en démotique.
47g *Lettre à M. Dacier,* 1822.
47d B.-J. Dacier, gravure de J. Boilly. B. N.
48g *Précis du système hiéroglyphique,*

exemplaire de Léon XII.
48d Le dieu Khnoum, dessin pour le *Panthéon égyptien.* B. N.
49m Signature de Champollion «Maïamoun».
49b T. Young, gravure.
50, 51h Dessins pour le *Panthéon Egyptien.* B. N.
51m Notes sur le papyrus Cadet pour le *Panthéon Egyptien.* B. N.
52-53 Edition du *Panthéon égyptien,* 1823.
54 Relevé de la stèle du harpiste, aquarelle pour le *Panthéon égyptien.* B. N.
55 Papyrus d'Imenemsaf. Musée du Louvre.

CHAPITRE IV

56 Musée égyptien de Turin, sépia. Collection particulière.
57 Drovetti en Haute Egypte, dessin de Granger. Musée du Louvre.
58h Musée égyptien de Turin, peinture de Delleani, 1881. Musée égyptien, Turin.
58b Détails du sépia précédent.
59 Thoutmosis III. Musée égyptien, Turin.
60h *Lettres à M. Le duc de Blacas d'Aulps,* édition Didot, 1824.
60b Aménophis Ier. Musée égyptien, Turin.
61d Ramsès II. *Idem.*
62h Léon XII.
62b Dessin extrait de la *Note sur les obélisques,* de

Champollion. B. N.
63 Bénédiction papale place Saint Pierre, peinture de Caffi. Musée de Rome.
64-65b Vue de Florence, peinture de G. Gherardi. Musée historique, Florence.
65h Relief de Nectanébo Ier, basalte. Musée archéologique, Bologne.
66 Angelica Palli, gravure.
67g Salles égyptiennes du Louvre.
67d *Charles X distribuant des récompenses aux artistes du Salon de 1824 au Louvre,* peinture de F.-J. Heim. Musée du Louvre.
68hd Aménophis III, tête en diorite. Musée du Louvre.
68hg Oushebti de Séthi Ier. *Idem.*
68b Cuve funéraire de Ramsès III, granit rose. *Idem.*
69g Sarcophage de Soutimès. *Idem.*
69d Coupe en or donnée par Thoutmosis III au général Djéhouty. *Idem.*

CHAPITRE V

70 Champollion en bédouin, pastel attribuable à G. Angelelli. Collection Chateauminois.
71 I. Rosellini, détail du tableau de G. Angelelli. Musée archéologique, Florence.
72-73 Temple de Maharraqa, aquarelle

de J.-N. Huyot, le 28 février 1819. B. N.
72b Dessin de Lhôte. Bibl. du Louvre.
73m Eléphantine par Vivant Denon. British Museum, Londres.
74-75 *L'Expédition franco-toscane parmi les ruines de Thèbes,* peinture de G. Angelelli. Musée archéologique, Florence.
76h, 77h et m Détails d'une planche de Huyot.
76-77b Procession de génies, tombeau de Ramsès III, planche des *Monuments...*
78m Papyrus Sallier. British Museum, Londres.
78b Colonne de Pompée à Alexandrie, planche de la *Description de l'Egypte.*
78-79 Alexandrie, estampe de L. Mayer, 1802. B. N.
80h Méhémet-Ali, gravure XIXe s. B. N.
80b Le Grec Triantaphylos, croquis de Chérubini. Collection Renéaume.
80-81b Le Caire, lithographie d'après Henry Salt. B. N.
82-83h Temple de Séthi Ier à Thèbes, lithographie de R. Lepsius, extraite de *Denkmäler aus Aegypten und Aethiopen,* 1849-1859. B. N.
82b Plan du temple de Karnak, aquarelle de Huyot. B. N.
83b Karnak, le 21 août 1829, dessin de L'Hôte. Bibl. du Louvre.

84-85 Relevé du petit temple d'Aménophis III à El Kab, aquarelle de L'Hôte, 1841. B. N.

86h Captifs africains, Abou Simbel, planche des *Monuments...*

86b Page de titre des *Monuments...*

87 Originaux des *Monuments...* :
en haut à gauche, Taousert, tombe de Taousert à Biban-el-Molouk; en haut à droite, un prince, à Medinet-Habou; en bas à gauche, harpiste, à Gournah, Thèbes; en bas à droite, Ramsès VIII, dans son tombeau, à Biban-el-Molouk. B. N.

87d Champollion-Figeac (Jacques-Joseph), gravure, XIXe siècle. B. N.

88-89, 90-91 Abou Simbel, grand temple, planche des *Monuments...*

92 Karomama, statuette en bronze, Karnak, époque libyenne. Musée du Louvre.

93g Bas relief de la tombe de Séthi Ier, le roi et Hathor, calcaire peint. *Idem.*

93d Dessin aquarellé de Duchesne, relevé *in situ*. B. N.

94 Hiéroglyphe signifiant l'Occident, la nécropole.

94-95b Temple de Dakké en Nubie, aquarelle des papiers de L'Hôte. B. N.

95 Jomard, gravure.

96 Tombe de Séthi Ier, dessin d'A. Bertin, pour les *Monuments de l'Egypte*. B. N.

TÉMOIGNAGES ET DOCUMENTS

97 Champollion en juillet 1829 à Medinet-Habou, croquis de Cherubini. Collection Renéaume.

98 Obélisque de l'hippodrome de Byzance, planche de *Oedipus Aegyptiacus*, de Kircher. B. N.

100 Cartouche d'Alexandre.

101 Alphabet hiéroglyphique.

102 *L'Expédition d'Egypte de Bonaparte*, peinture de L. Cogniet, 1833. Musée du Louvre.

102-103 Denderah, planche de la *Description de l'Egypte*.

103 Chapiteau papyriforme, Esné. *Idem.*

104 Thèbes. *Idem.*

105 Karnak. *Idem.*

107 Huyot, gravure de Blanchard, d'après Droling. B. N.

108-109 Croquis de Cherubini. Collection Renéaume.

110 Relevé d'une tombe, dessin de L'Hôte. B. N.

110-111b Dessin de lutteurs relevé à Béni-Hassan, pour les *Monuments de l'Egypte et de la Nubie*.

111 La reine Nebbetaouy, dessin de Bertin d'après Angelelli, relevé dans la tombe de Ramsès III à Thèbes, pour les *Monuments....*

112 Duchesne, croquis de Cherubini.

Collection Renéaume.

113 L'Hôte. *Idem.*

114-115 La seconde cataracte, le 31 décembre 1828. *Idem.*

116-117 Colosses de Memnon à Thèbes, lithographie en couleur extraite de *Denkmäler aus Aegypten und Aethiopen,* 1849-1859, de R. Lepsius.

118 Temple de Karnak à Thèbes. *Idem.*

119 Temple d'Abou Simbel. *Idem.*

120 Méhémet Ali, gravure d'après H. Horeau. B. N.

122 Ombos, dessin de L'Hôte. Bibl. du Louvre.

123 Temple d'Abou Simbel, dans les *Antiquités de la Nubie*, de Gau, Didot, 1822.

124 Le Collège de France, gravure, XVIIIe siècle.

126 Signature de Champollion.

127 Abou Simbel, grande salle, dans les *Monuments de l'Egypte et de la Nubie.*

128 Champollion, gravure.

130g Timbre et cachet commémoratifs, 1972.

130d Médaille à l'effigie de Champollion.

131 Vase dit de Champollion, manufacture de Sèvres. Musée de Compiègne.

133 Obélisque de Figeac, carte postale vers 1900.

135 Gravure par Bartholdi de la statue faite pour le Collège de France.

136 Champollion, dessin de Théodule

Devéria, 1852 d'après un portrait anonyme, le 11 novembre 1830.

137 Inauguration par F. Mitterrand du musée Champollion à Figeac.

INDEX

Abou Simbel 44, *76,* 89.

Abousir 79.

Académie delphinale 21, 28, 33, 37.

Académie des inscriptions et belles-lettres 36, 40, 46, 47, *47,* 92.

Académie de Lyon 44.

Académie des sciences de Turin 61, 62.

Aix-en-Provence 78, *78.*

Akerblad, Johann-David 41, 51.

Alexandrie *32, 49,* 57, 71, *71,* 79, *79,* 81.

Aménophis III 48, *69,* 85.

Amon *48,* 49, *53,* 89.

Angelelli, Giuseppe *71, 75.*

Arago 50.

Arnouville, d' 36.

Artaud 78.

Balbe, comte de *59.*

Balzac *16, 39, 42, 59,* 94.

Bankes 42, 43.

Barthélemy d'Herbelot 23.

Belzoni *76,* 93.

Béni-Hassan *17, 85.*

Berriat 33.

Bertin 75.

Bibent, Antoine 72.

Bibliothèque (impériale, nationale) 28, *28, 40, 47,* 87, 95.

Binant 77.

Blacas d'Aulps, Casimir, duc de 58, 59, *59, 60,* 61-63, 72.

Blanc, André 48;
-Rosine 36, 60, 69.
Bologne, 62, 64, *65*.
Bonaparte, 21-22.
Bouchard, *32*.
Boucheron, Charles
62.
Bousquet, abbé 16.
British Museum *32*, 78.
Bruce, James *77*.

Cailliaud, Frédéric *57*,
72.
Caire, Le 21, *33*, 81,
81.
Calmels, abbé 16, 18.
Casati 41.
Cattanéo, Carlo 62.
Célé *13*, 14, 15.
Champollion,
Barthélemy 12-13;
-Claude 12; -Jacques
13-16; -Jacques-Joseph
11, 12, 14-21, 27, 33, *35*,
40, 47, *47*, 58, 61, *62*, 85,
85, *87*, 94; - Marie-
Jeanne 14; -Thérèse
14.
Champollion-Figeac,
Aimé 19, 45.
Charles X 64, 66, *67*,
76.
Cherubini, Salvatore
75, 78, 85.
Chiftichi 30, *31*.
Clément d'Alexandrie
40.
Cléopâtre 42, 43, *43*.
Cogniet, Léon *16*.
Collège de France 28,
42, 92, 95.
Cosmao-Dumanoir 78.
Courrier de l'Egypte
17, 33.
Cousin 92.
Cuvier 92.

Dacier, Bon-Joseph
36, *44*, 47, 49.
Dakké 94.
Day 14.
Denderah 43.
Denon, Vivant 40, 73.
Deschamps, Louise 33.
Description de l'Egypte

21, 30, *49*, *51*.
Desouche 77.
Dictionnaire(s) 36, *87*,
92, 94.
Drovetti, Bernardino
57, *57*, 60, 61, 80, *80*;
-collection *59*, *69*.
Dubois, Léon-Jean-
Joseph *53*, 55, *60*, 62,
69, 85, *85*, 92, 93.
Duchesne, Alexandre
75, *93*.

Ecole spéciale des
langues orientales *27*,
28, *28*, 30.
Edfou 43.
Eglé, L' 78.
*Egypte sous les
pharaons...*, 37, *37*.
Eléphantine *73*.
El-Kab *85*.
Esné 43.
*Essai de description
géographique de
l'Egypte* 24.
Expédition d'Egypte
16, 17, *28*, *51*.

Figeac 11, *11*, *12*, 14,
15, *15*, 17, 35, *35*, 36, 94.
Florence 62-64, *64*.
Fourier, Joseph 21-24,
47.
Funchal, comte de 94.

Galland *33*.
Gau 50, *76*.
Gautier, Théophile
59.
Gazzera, Costanzo,
abbé 62, 73 77.
Gênes 63.
Gournah *83*.
Grammaire égyptienne
36, *37*, *41*, 44, *44*, *87*, 92,
94.
Grenoble 12, *13*, 17-
19, *19*, 20, 22, *22*, 24, 25,
25, 28, 33-35, *35*, 36, 37,
40, 60, 64, 69.
Gros *75*.
Gualieu, Antoine 15;
-Jacques 15; -Jeanne-
Françoise 15-16.

Hathor 50, *53*, *93*.
Humboldt, Alexandre
de 49.
Huyot, Jean-Nicolas
44, 45, 50, *72*, *76*, 82.

Imenemsaf, papyrus d'
55.
Institut d'Egypte 21,
77, *77*.

Jay, Louis-Joseph 19.
Jomard, Edmé-
François 46, *49*, 95, *95*.
Joséphine, impératrice,
30.

Karnak 43, 60, *82*, *83*.
Karomama 92, *93*.
Khnoum *48*, *53*.

La Bouillerie, baron de
85.
Lacroze 31, 32.
Lagides 43.
Langlès, Louis-Lathieu
28-30.
La Rochefoucauld,
vicomte de 76.
La Salette, général de
24.
Leguay 78.
Lehoux *75*, 77.
Lenoir, Marie-
Alexandre 30.
Lenormant 92.
Léon XII 59, 62, *62*.
Léopold II, grand-duc
de Toscane 62, *64*, 71,
76.
Lepsius, Richard 77,
83.
Letronne, Jean 42-43,
50.
Lettre à M. Dacier 44,
46, *46*, 47, 50, 55, 72, *94*.
L'Hôte, Nestor 69, *72*,
75, *83*, 85.
Livourne *55*, 63-65.
Louis XVIII 36, 48, 59.
Louvre, musée du 15,
16, 40, 55, *55*, 63-67, 69,
76, 77, 92, *93*.
Louxor 83.

Maharraqa *72*.
Mai, Angelo 62.
Manéthon 45.
Marcel *33*.
Marilhat, Prosper *83*.
Maspero, Gaston 95.
Mécran 28.
Méhémet Ali 79, 80,
80.
*Mémoire sur l'écriture
hiératique* 40, 61.
Memphis 72, 79.
Mezzofanti 62.
Milan 62.
Millin, Aubin-Louis
24, 28, 32, 47.
Mission franco-toscane
71, *72*, *75*, 85.
Monachis, dom
Raphael de 23, 28.
Montmorency-Laval,
duc de 64.
*Monuments de l'Egypte
et de la Nubie*, 77, 85,
85, *87*, 89, 94.
Musée égyptien de
Charles X (cf. Louvre)
Musée égyptien de
Turin 50, *57*, 60, *60*, 61.

Naples 62, 72.
Napoléon *34*.
Nectanébo Ier *65*.
Nénié 77.
Nephtys *50*.
Nizzoli, Giuseppe 63,
64.
*Notice descriptive des
monuments égyptiens
du musée Charles X*
69, 94.
*Nouvelle Explication
des hiéroglyphes...* 30.

Ombos 43.
Orléans, duc d' 48, 59.
Ouadi-Hellal *85*.
Ousiréi, tombe d' *93*.

Pacha (cf. Méhémet
Ali).
Palli, Angelica 34, 65,
66, *66*.
Panthéon égyptien, 50,
53, 55, *55*, *69*, 92.

Papyrus Cadet *28, 51.*
Papyrus Prisse *41.*
Paris 24, *24,* 25, 27, 37, 69.
Pariset, Dr *49.*
Passalacqua *59.*
Peyron, Amadeo 62.
Philae 43.
Pierre de Rosette *17,* 21, *30,* 32, *35,* 36, 40, 41, *43,,* 49, 50.
Pise 65, 77.
Plana, Carlo 62.
Précis du système hiéroglyphique... 37, 48, 55, 59.
Prisse d'Avennes, Emile *41,* 77.
Ptolémée V 32, *39,* 41, 43, 55.
Ptolémées 48, *94.*

Raddi, Giuseppe *75.*
Ramsès II 44, *44,* 45, 48, 62, *77, 89.*
Remarques sur la fable des Géants 20, *20,* 24.
Rémusat, Abel de 46, 49.
Renauldon 25.
Ricci, Alessandro 63, *64, 72, 73, 75, 77.*
Rifaud *57.*
Roget de Cholex, comte *59.*
Rome 62, 64.
Rosellini, Gaetano *75;*
-Ippolito 65, 69, *71, 73, 75,* 76-78, *89.*
Rougé, Emmanuel de 95.

Saint-Roch, église 30, *31.*

Sallier 78, *78.*
Salt, collection *55,* 63-65, 69, *69;* -Henry 63, *81.*
Saluzzo, frères 62.
Santoni, Pietro 63.
Sésostris *60,* 62, *78.*
Séthi Ier *69, 93.*
Silvestre de Sacy, Jacques-Isaac 19, 28, 29, *30,* 46-51.
Société des sciences et des arts de Grenoble 24.
Soutimès *69.*

Tableau des signes hiéroglyphiques 39.
Téos, sarcophage de 92.
Teulié, Marie 15.
Thèbes *11, 28, 51, 77,*

79, 83, *85, 93.*
Thévenet, Augustin *19, 35,* 36.
Thot *44,* 45, *55.*
Thoutmosis *44,* 45, 48, *69.*
Toulon 78, 84, *93.*
Turin 57, 59, *59,* 61-64, 92.

Valbonnais 12-13, *19.*
Valjouffrey 12-13.
Van Erpe, Thomas 23.
Vayssié, Jean *13.*
Venise 65.
Vidua, comte Carlo 73.
Vif-sur-Isère *19,* 60.
Villars, Dominique 19.

Young, Thomas 41, 43, *43,* 46, 49, *49,* 50, 51, 55.
Zoraïde 60, 69.

CRÉDITS PHOTOGRAPHIQUES

Archives départementales du Lot, Cahors 12-13, 15d, 18h, 25b, 34, 128, 135. Bibliothèque municipale, Grenoble 22b. Bibliothèque nationale, Paris Couv. 1er et 4e plats, 2-3, 4-5, 6-7, 16b, 17b, 20h, 20b, 22h, 27, 28-29, 29, 30b, 33, 36, 37, 39, 40, 41h, 41b, 42b, 43, 45b, 46, 47d, 48d, 50, 51h, 51m, 54, 62b, 72-73h, 76h, 77h, 77m, 76-77b, 80h, 80-81b, 82, 82-83h, 87hg, 87hd, 87bg, 87bd, 87d, 93d, 94-95b, 96, 98, 107, 110, 110-111b, 111, 120, 126. British Museum, Londres 32-33, 73b, 78m. Carran (Noak), Paris 38. Chamonal, Paris 48g. B. Denis/Grasset 70. D.R 21, 24-25h, 26, 28h, 31d, 47g, 49m, 56, 58b, 60h, 66, 73m, 78b, 94, 95, 96, 100, 101, 102-103h, 103b, 104, 105, 123, 126, 130g, 133. Dagli-Orti, Paris 58-59h, 59, 60b, 61d, 102b. Dépêche du Midi/A. Laffay, Toulouse 137. Explorer/Bordes, Paris 11, 15g. Gallimard Dos de couv., 116-117, 118, 119. Gallimard/Delebecque 44-45, 86b, 86h, 88-89, 90-91, 127. Gallimard/D. Thibault 44b, 45h, 45m. Giraudon/Lorette, Paris 1, 52, 53, 78-79, 84-85. G. Hermet/Figeac 14. Musée archéologique, Bologne 65h. Musée de Grenoble 18-19. Musée de la Poste, Amboise 24b. Collection Renéaume 80b, 97, 108-109, 112, 113, 114-115. R. M N, Paris 10, 16-17h, 23, 45g, 55, 57, 67d, 72b, 83b, 92, 93g, 122, 131. R.M.N/Chuzeville 9, 68hd, 68b, 69g. R.M.N/Larrieu 68hg, 69d. R.M.N/Rose 67g. Roger-Viollet, Paris 30h, 31g, 34-35h, 42h, 49b, 62h, 124, 130d, 136. SCALA, Florence 63, 64-65b, 71, 74-75.

REMERCIEMENTS

L'auteur remercie les personnes et les organismes suivants pour l'aide qu'ils lui ont apportée dans la réalisation de ce livre : les Amis du musée Champollion à Figeac; Paul André et les éditions de L'Albaron; Hubert Bari; le Cabinet des manuscrits français à la Bibliothèque nationale; Mme et M. Jacques Chateauminois; la Fondation Mécénat Science et Art à Strasbourg; Guy Hildwein; Jeannot Kettel; Jean Leclant; Martin Malvy; Michel Merland; Guy Renéaume; Delphine Babelon des éditions Gallimard.

COLLABORATEURS EXTÉRIEURS

Iconographie : Béatrice Petit. Maquette : Vincent Lever. Lecture-correction : Béatrice Peyret-Vignals.

Table des matières

I **«UNE LUMIÈRE DES SIÈCLES À VENIR»**

12 Entre le Causse et les rives du Célé
14 Le fils du libraire figeacois
16 L'Egypte de Bonaparte
18 Les frères Champollion
20 Premiers idiomes orientaux
22 L'Egypte en Dauphiné
24 Signes et caractères

II **APPRENDRE L'HISTOIRE ET LA FAIRE**

28 A la Bibliothèque impériale
30 «Je parle copte tout seul»
32 Du tableau noir à la chaire
34 Liberté, et manières de la perdre!
36 L'Egypte avant tout

III **QUATRE ANNÉES D'ÉTUDE POUR QUINZE SIÈCLES DE SILENCE**

40 «Ma conquête papyracée»
42 Vie parisienne... et studieuse
44 L'alphabet dépassé
46 Séance mémorable à l'Académie
48 Adhésions et critiques
50 *Le Panthéon égyptien*
52 Une imagerie divine complexe
54 L'au-delà et ses génies

IV **L'ÉGYPTE EN ITALIE ET AU MUSÉE DE CHARLES X**

58 Des cabinets de curiosités aux musées
60 Redécouverte de l'art égyptien
62 Merveilles de l'Italie
64 Rosellini, le disciple toscan
66 Un musée égyptien au Louvre
68 Au milieu des chefs-d'œuvre

V **UNE VIE ENTIÈRE POUR QUINZE MOIS EN ÉGYPTE**

72 Carnets des premiers voyageurs
74 *Français et Toscans à Thèbes*
76 Une organisation minutieuse
78 Enfin... Alexandrie!
80 L'éblouissement du Caire
82 Thèbes ou le bonheur
84 Une nouvelle «Description de l'Egypte».
86 *Des portefeuilles à l'édition*
92 Le retour triomphal
94 Au-delà des signes

TÉMOIGNAGES ET DOCUMENTS

98 Le déchiffreur des signes muets
102 En marge de la Commission d'Egypte
106 Un curieux bédouin
120 Archéologie et patrimoine
124 Du calame à la plume
130 Du mémorial à l'image d'Epinal
138 Annexes